T3-BOG-602

DIRECTEUR DE COLLECTION POUR L'ÉDITION FRANÇAISE

Léo-James Lévesque

AUTEURS DE L'ÉDITION ORIGINALE

Arnold Toutant
Sharon Jeroski

Chris Atkinson
Jean Bowman
Rick Chambers
Cathy Costello
Richard Davies
Susan Doyle
Kathleen Gregory
Raymond Lavery
Suzanne Leblanc-Healey
Ken Pettigrew
Tamar Stein
Dirk Verhulst
Sylvie Webb
Jerry Wowk

5757, RUE CYPIHOT, SAINT-LAURENT (QUÉBEC) H4S 1R3
TÉLÉPHONE : 514 334-2690 TÉLÉCOPIEUR : 514 334-4720
erpidlm@erpi.com

POUR L'ÉDITION FRANÇAISE

Directrice de l'édition
Linda Tremblay

Traductrice
Monique Lanouette

Chargée de projet
Mélanie D'Amours

Réviseure linguistique et correctrice d'épreuves
Marie Théorêt

Recherchiste (photos et droits)
Marie-Chantal Masson

Directrice artistique
Hélène Cousineau

Coordonnatrice aux réalisations graphiques
Sylvie Piotte

Couverture
Benoit Pitre

Édition électronique
Valérie Deltour

Dépôt légal – Bibliothèque et Archives nationales du Québec, 2010
Dépôt légal – Bibliothèque et Archives Canada, 2010

IMPRIMÉ AU CANADA 234567890 II 14 13 12 11
ISBN 978-2-7613-3625-3 11809 ABCD OS12

POUR L'ÉDITION ORIGINALE

Chef d'équipe
Anita Borovilos

Éditrices
Susan Green
Elynor Kagan

Chefs de produit
Deborah Nelson
Paula Smith

Directrices de rédaction
Angelie Kim
Caroline Kloss
Monica Schwalbe

Directrices de la recherche et du développement
Chelsea Donaldson
Cathy Fraccaro
Susan Green

Réviseures
Marie Kocher
Adele Reynolds
Lisa Santilli
Rosalyn Steiner

Coordonnateurs de la production
Alison Dale
Zane Kaneps
Sharlene Ross

Coordonnatrice industrielle en chef
Jane Schell

Coordonnatrice industrielle
Karen Alley

Directrice artistique
Zena Denchik

Graphistes
Zena Denchik
Maki Ikushima
Word & Image Design

Recherchistes photos
Natalie Barrington
Mary Rose MacLachlan

Vice-président, édition et marketing
Mark Cobham

REMERCIEMENTS

POUR L'ÉDITION FRANÇAISE

L'éditeur remercie les personnes suivantes pour leurs commentaires judicieux au cours de l'élaboration de cet ouvrage:

Johanne Austin, agente pédagogique, School district 6 de Rothesay, N.-B.

Jean-Claude Bergeron, conseiller pédagogique en immersion, 7-12e année, ministère de l'Éducation de la Nouvelle-Écosse.

Gilles Desharnais, professeur de géographie, Collège Laval, Qc.

Alicia Logie, conseillère pédagogique, conseil scolaire de Surrey, C.-B.

Karen Olsen, conseillère pédagogique pour le français et les langues du patrimoine, écoles publiques de Regina, Sask.

Brian Svenningsen, conseiller pédagogique, Toronto District School Board, Ont.

Diane Tijman, coordonnatrice des programmes d'études en langues, Richmond School Board, C.-B.

Nathalie Wall, enseignante, Ottawa Catholic School Board, Ont.

POUR L'ÉDITION ORIGINALE

Consultants pour la collection

Andrea Bishop
Faye Brownlie
Caren Cameron
Maria Carty
Robert Cloney
Catherine Costello
Christine Finochio
Pat Horstead
Don Jones
Sherri Robb

Réviseurs scientifiques

Barbara Boate
Adolfo Diiorio
Ken Ealey
Deborah Kekewich
Catherine Little
Chris McKeon
Yaw Obeng
Susan Pleli
Sheila Staats
Connie Warrender

TABLE DES MATIÈRES

MODULE 2

La nature sous nos pieds 52

MODULE 3

Des textes qui font réagir ! 100

VUE D'ENSEMBLE

LE DÉBUT D'UN MODULE

Chaque module s'ouvre avec une **photo** qui invite à la discussion.

Le **titre du module** annonce le thème abordé.

Une **question** oriente ta réflexion sur le thème.

Les **objectifs d'apprentissage** donnent un aperçu des activités proposées dans le module, du genre de texte à l'étude, des habiletés et des stratégies ciblées.

LA PRÉSENTATION DU THÈME

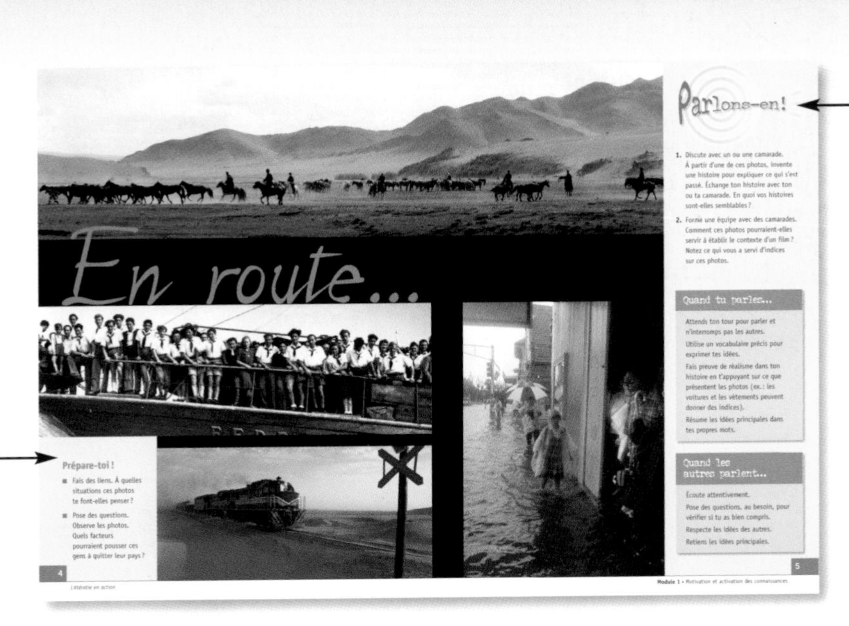

La rubrique **Parlons-en !** t'offre une occasion de discuter avec tes camarades de ce que tu connais sur le thème.

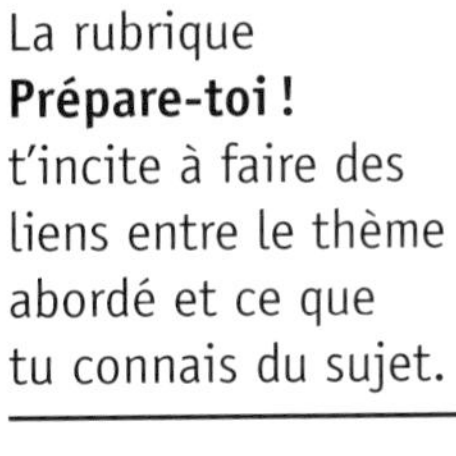

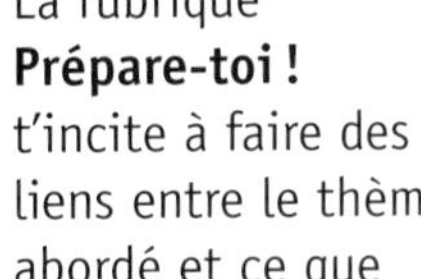

La rubrique **Prépare-toi !** t'incite à faire des liens entre le thème abordé et ce que tu connais du sujet.

LA LECTURE

La section **Lire des...** te permet de t'initier au genre de texte à l'étude dans le module.

Dans chaque module, des **stratégies de lecture** sont ciblées.

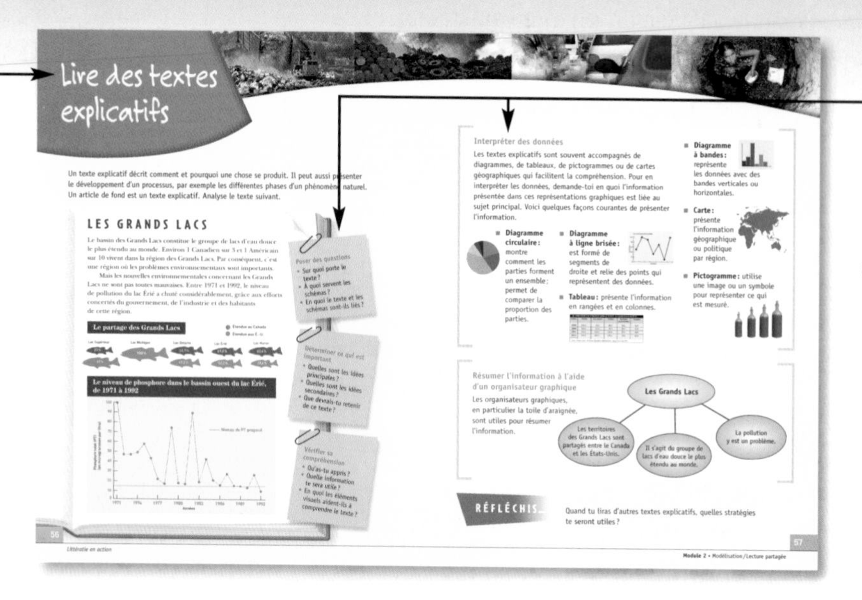
Lire des textes explicatifs

Un texte explicatif décrit comment et pourquoi une chose se produit. Il peut aussi présenter le développement d'un processus, par exemple les différentes phases d'un phénomène naturel. Un article de fond est un texte explicatif. Analyse le texte suivant.

LES GRANDS LACS

Le bassin des Grands Lacs constitue le groupe de lacs d'eau douce le plus étendu au monde. Environ 1 Canadien sur 3 et 1 Américain sur 10 vivent dans la région des Grands Lacs. Par conséquent, c'est une région où les problèmes environnementaux sont importants.

Mais les nouvelles environnementales concernant les Grands Lacs ne sont pas toutes mauvaises. Entre 1971 et 1992, le niveau de pollution du lac Érié a chuté considérablement, grâce aux efforts concertés du gouvernement, de l'industrie et des habitants de cette région.

Poser des questions
- Sur quoi porte le texte ?
- À quoi servent les schémas ?
- En quoi le texte et les schémas sont-ils liés ?

Déterminer ce qui est important
- Quelles sont les idées principales ?
- Quelles sont les idées secondaires ?
- Que devrais-tu retenir de ce texte ?

Vérifier sa compréhension
- Qu'as-tu appris ?
- Quelle information te sera utile ?
- En quoi les éléments visuels aident-ils à comprendre le texte ?

Interpréter des données

Les textes explicatifs sont souvent accompagnés de diagrammes, de tableaux, de pictogrammes ou de cartes géographiques qui facilitent la compréhension. Pour en interpréter les données, demande-toi en quoi l'information présentée dans ces représentations graphiques est liée au sujet principal. Voici quelques façons courantes de présenter l'information.

- **Diagramme circulaire :** montre comment les parties forment un ensemble ; permet de comparer la proportion des parties.
- **Diagramme à ligne brisée :** est formé de segments de droite et relie des points qui représentent des données.
- **Tableau :** présente l'information en rangées et en colonnes.
- **Diagramme à bandes :** représente les données avec des bandes verticales ou horizontales.
- **Carte :** présente l'information géographique ou politique par région.
- **Pictogramme :** utilise une image ou un symbole pour représenter ce qui est mesuré.

Résumer l'information à l'aide d'un organisateur graphique

Les organisateurs graphiques, en particulier la toile d'araignée, sont utiles pour résumer l'information.

RÉFLÉCHIS... Quand tu liras d'autres textes explicatifs, quelles stratégies te seront utiles ?

56 Littératie en action — 57 Module 2 • Modélisation/Lecture partagée

Pendant la **lecture partagée**, ton enseignant ou ton enseignante lit un texte et modélise la façon de mettre en pratique les stratégies de lecture ciblées.

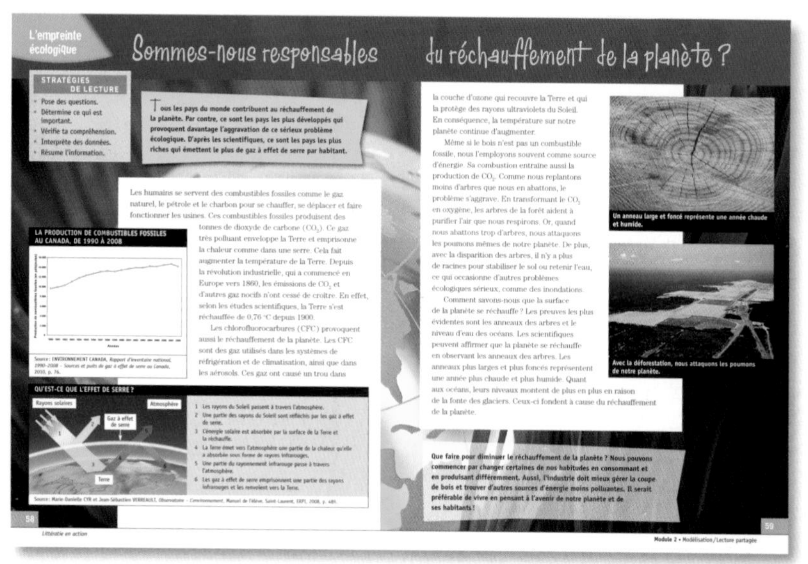
L'empreinte écologique

Sommes-nous responsables du réchauffement de la planète ?

STRATÉGIES DE LECTURE
- Pose des questions.
- Détermine ce qui est important.
- Vérifie ta compréhension.
- Interprète des données.
- Résume l'information.

Tous les pays du monde contribuent au réchauffement de la planète. Par contre, ce sont les pays les plus développés qui provoquent davantage l'aggravation de ce sérieux problème écologique. D'après les scientifiques, ce sont les pays les plus riches qui émettent le plus de gaz à effet de serre par habitant.

Les humains se servent des combustibles fossiles comme le gaz naturel, le pétrole et le charbon pour se chauffer, se déplacer et faire fonctionner les usines. Ces combustibles fossiles produisent des tonnes de dioxyde de carbone (CO_2). Ce gaz très polluant enveloppe la Terre et emprisonne la chaleur comme dans une serre. Cela fait augmenter la température de la Terre. Depuis la révolution industrielle, qui a commencé en Europe vers 1860, les émissions de CO_2 et d'autres gaz nocifs n'ont cessé de croître. En effet, selon les études scientifiques, la Terre s'est réchauffée de 0,76 °C depuis 1900.

Les chlorofluorocarbures (CFC) provoquent aussi le réchauffement de la planète. Les CFC sont des gaz utilisés dans les systèmes de réfrigération et de climatisation, ainsi que dans les aérosols. Ces gaz ont causé un trou dans la couche d'ozone qui recouvre la Terre et qui la protège des rayons ultraviolets du Soleil. En conséquence, la température sur notre planète continue d'augmenter.

Même si le bois n'est pas un combustible fossile, nous l'employons souvent comme source d'énergie. Sa combustion entraine aussi la production de CO_2. Comme nous replantons moins d'arbres que nous en abattons, le problème s'aggrave. En transformant le CO_2 en oxygène, les arbres de la forêt aident à purifier l'air que nous respirons. Or, quand nous abattons trop d'arbres, nous attaquons les poumons mêmes de notre planète. De plus, avec la disparition des arbres, il n'y a plus de racines pour stabiliser le sol ou retenir l'eau, ce qui occasionne d'autres problèmes écologiques sérieux, comme des inondations.

Comment savons-nous que la surface de la planète se réchauffe ? Les preuves les plus évidentes sont les anneaux des arbres et le niveau d'eau des océans. Les scientifiques peuvent affirmer que la planète se réchauffe en observant les anneaux des arbres. Les anneaux plus larges et plus foncés représentent une année plus chaude et plus humide. Quant aux océans, leurs niveaux montent de plus en plus en raison de la fonte des glaciers. Ceux-ci fondent à cause du réchauffement de la planète.

LA PRODUCTION DE COMBUSTIBLES FOSSILES AU CANADA, DE 1990 À 2008

Source : ENVIRONNEMENT CANADA, *Rapport d'inventaire national, 1990-2008 – Sources et puits de gaz à effet de serre au Canada*, 2010, p. 76.

QU'EST-CE QUE L'EFFET DE SERRE ?

1 Les rayons du Soleil passent à travers l'atmosphère.
2 Une partie des rayons du Soleil sont réfléchis par les gaz à effet de serre.
3 L'énergie solaire est absorbée par la surface de la Terre et la réchauffe.
4 La Terre émet vers l'atmosphère une partie de la chaleur qu'elle a absorbée sous forme de rayons infrarouges.
5 Une partie du rayonnement infrarouge passe à travers l'atmosphère.
6 Les gaz à effet de serre emprisonnent une partie des rayons infrarouges et les renvoient vers la Terre.

Source : Marie-Danielle CYR et Jean-Sébastien VERREAULT, *Observatoire – L'environnement, Manuel de l'élève*, Saint-Laurent, ERPI, 2008, p. 489.

Un anneau large et foncé représente une année chaude et humide.

Avec la déforestation, nous attaquons les poumons de notre planète.

Que faire pour diminuer le réchauffement de la planète ? Nous pouvons commencer par changer certaines de nos habitudes en consommant et en produisant différemment. Aussi, l'industrie doit mieux gérer la coupe de bois et trouver d'autres sources d'énergie moins polluantes. Il serait préférable de vivre en pensant à l'avenir de notre planète et de ses habitants !

58 Littératie en action — 59 Module 2 • Modélisation/Lecture partagée

Pendant la **pratique guidée**, tu lis un des textes proposés avec des camarades et tu mets en application les stratégies de lecture ciblées.

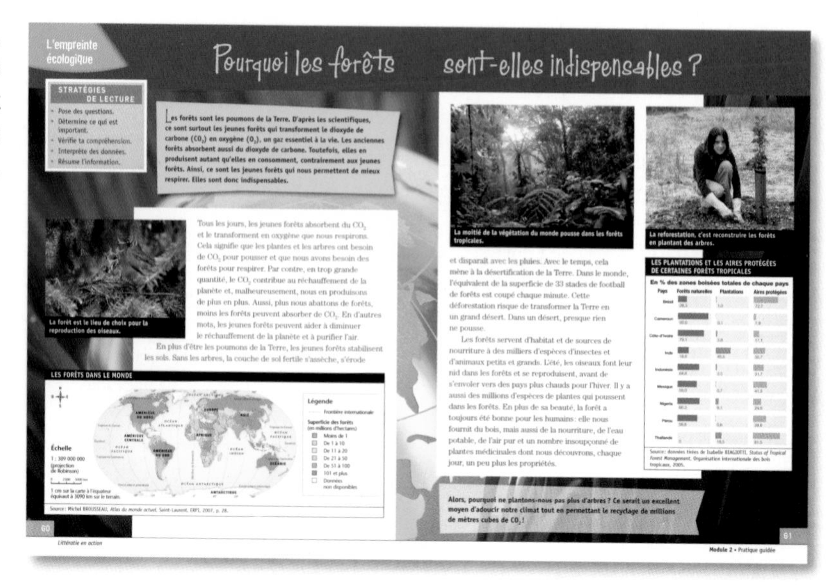
L'empreinte écologique

Pourquoi les forêts sont-elles indispensables ?

STRATÉGIES DE LECTURE
- Pose des questions.
- Détermine ce qui est important.
- Vérifie ta compréhension.
- Interprète des données.
- Résume l'information.

Les forêts sont les poumons de la Terre. D'après les scientifiques, ce sont surtout les jeunes forêts qui transforment le dioxyde de carbone (CO_2) en oxygène (O_2), un gaz essentiel à la vie. Les anciennes forêts absorbent aussi du dioxyde de carbone. Toutefois, elles en produisent autant qu'elles en consomment, contrairement aux jeunes forêts. Ainsi, ce sont les jeunes forêts qui nous permettent de mieux respirer. Elles sont donc indispensables.

Tous les jours, les jeunes forêts absorbent du CO_2 et le transforment en oxygène que nous respirons. Cela signifie que les plantes et les arbres ont besoin de CO_2 pour pousser et que nous avons besoin des forêts pour respirer. Par contre, en trop grande quantité, le CO_2 contribue au réchauffement de la planète et, malheureusement, nous en produisons de plus en plus. Aussi, plus nous abattons de forêts, moins les forêts peuvent absorber de CO_2. En d'autres mots, les jeunes forêts peuvent aider à diminuer le réchauffement de la planète et à purifier l'air.

En plus d'être les poumons de la Terre, les jeunes forêts stabilisent les sols. Sans les arbres, la couche de sol fertile s'assèche, s'érode et disparaît avec les pluies. Avec le temps, cela mène à la désertification de la Terre. Dans le monde, l'équivalent de la superficie de 33 stades de football de forêts est coupé chaque minute. Cette déforestation risque de transformer la Terre en un grand désert. Dans un désert, presque rien ne pousse.

Les forêts servent d'habitat et de sources de nourriture à des milliers d'espèces d'insectes et d'animaux petits et grands. L'été, les oiseaux font leur nid dans les forêts et se reproduisent, avant de s'envoler vers des pays plus chauds pour l'hiver. Il y a aussi des millions d'espèces de plantes qui poussent dans les forêts. En plus de sa beauté, la forêt a toujours été bonne pour les humains : elle nous fournit du bois, mais aussi de la nourriture, de l'eau potable, de l'air pur et un nombre insoupçonné de plantes médicinales dont nous découvrons, chaque jour, un peu plus les propriétés.

La forêt est le lieu de choix pour la reproduction des oiseaux.

La moitié de la végétation du monde pousse dans les forêts tropicales.

La reforestation, c'est reconstruire les forêts en plantant des arbres.

LES FORÊTS DANS LE MONDE

Source : Michel BROUSSEAU, *Atlas du monde actuel*, Saint-Laurent, ERPI, 2007, p. 28.

LES PLANTATIONS ET LES AIRES PROTÉGÉES DE CERTAINES FORÊTS TROPICALES

En % des zones boisées totales de chaque pays

Source : données tirées de Isabelle BIAGIOTTI, *Status of Tropical Forest Management*, Organisation internationale des bois tropicaux, 2005.

Alors, pourquoi ne plantons-nous pas plus d'arbres ? Ce serait un excellent moyen d'adoucir notre climat tout en permettant le recyclage de millions de mètres cubes de CO_2 !

60 Littératie en action — 61 Module 2 • Pratique guidée

Pendant la **pratique coopérative ou autonome**, tu lis un texte plus long, individuellement ou avec un ou une camarade, en mettant en pratique les stratégies apprises.

La rubrique **Réagis au texte** te permet de vérifier ta compréhension du texte lu. Des tâches sont proposées afin de te permettre d'**enrichir ton vocabulaire**.

Dans la rubrique **Coffre à outils**, tu as l'occasion de faire des tâches en écriture, en communication orale ou en littératie médiatique.

L'ÉCRITURE

Une **situation d'écriture** est proposée. D'un module à l'autre, tu écriras un texte pour informer, convaincre, exprimer tes sentiments, etc.

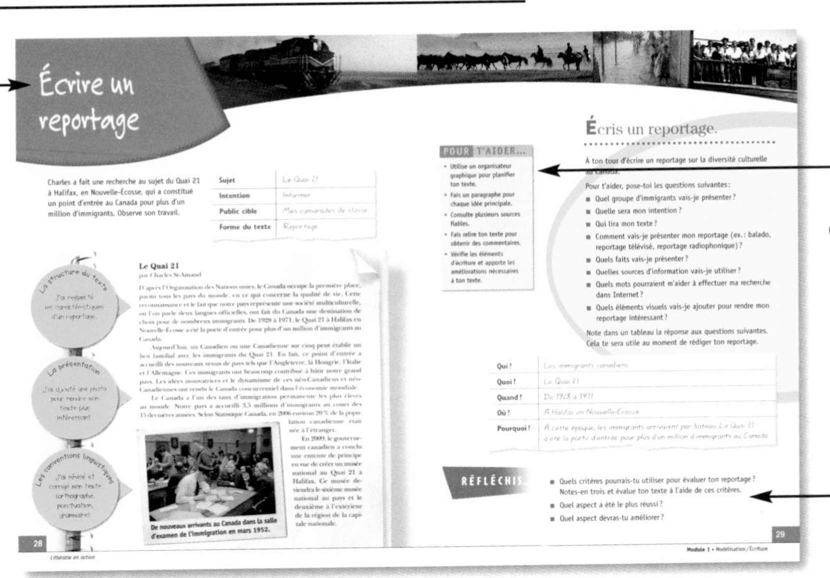

Pour accomplir ta tâche, des trucs te sont donnés dans la rubrique **Pour t'aider...**

Tu évalues ensuite ton travail à l'aide de la rubrique **Réfléchis...**

LA POÉSIE

Dans chaque module, un **poème** ou une **chanson** en lien avec le thème est proposé.

Une terre ronde

par Frédérique Saucier

Une terre ronde
Une terre bleue
Une terre verte de forêts
La Terre
Une boule dans l'univers immense
Ma seule demeure
Où je vis
Où je respire
Terre mon unique jardin
Fragile dans l'espace
Petite dans l'infini
Comme la plus belle des roses
Ne pas te cueillir
Ne pas t'étouffer
Ne pas te faner
Mais te soigner
Te cultiver
Te respirer
Te voir t'épanouir pour nous faire vivre

Source : Frédérique SAUCIER, «Une terre ronde», dans Axel FORFERT, *Anthologie des jeunes poètes francophones*, Saint-Hippolyte, Éditions du Noroît, 1997, p. 35.

Prépare-toi !

- Fais des liens. Quelle importance accordes-tu à l'environnement ? Discutes-en avec un ou une camarade.
- Pose des questions. Selon toi, quels messages ces poèmes transmettent-ils ?

76

Littératie en action

Terrabulle...

par Axel Forfert

As-tu vu les poissons dans leur bocal rond ?
Jamais ils ne polluent leur eau par du pétrole
As-tu vu les poissons dans leur bocal rond ?
Jamais de pesticides, de bombes qui survolent...

As-tu vu les oiseaux dans leur cage à barreaux ?
Jamais de fumées noires, de bouteilles qui traînent
As-tu vu les oiseaux dans leur cage à barreaux ?
Jamais de cris, d'insultes, de maux et de migraines...

As-tu vu l'être humain sur son bocal bleu ?
Qui perce, casse, brise, brûle, pollue, détruit
As-tu vu l'être humain dans la bulle perdue
Qui essaie de crever les parois de la vie...

Source : Axel FORFERT, «Terrabulle...», *Anthologie des jeunes poètes francophones*, Saint-Hippolyte, Éditions du Noroît, 1997, p. 21.

Réagis au texte.

1. Ces poèmes ont-ils été utiles pour t'aider à mieux comprendre l'importance de protéger l'environnement ? Comment ?
2. Choisis une expression ou une partie d'un poème que tu trouves particulièrement intéressante. Explique ton choix. Quelles images te fais-tu de la Terre après avoir lu un de ces poèmes ?

Enrichis ton vocabulaire.

3. Relève cinq mots dans ces poèmes. Utilise-les pour écrire un autre poème ou un paragraphe en lien avec le thème et lis-le à un ou à une camarade.

COFFRE À OUTILS
COMMUNICATION ORALE

Avec un ou une camarade, prépare un jeu de rôle traitant d'un sujet écologique (ex. : entrevue entre un ou une journaliste et un ou une scientifique). Les questions environnementales suscitent de vives réactions chez les gens.
De plus en plus de gens croient que nous devons assumer la responsabilité de nos actes. Dans votre jeu de rôle, pensez à inclure une discussion sur les *pour* et les *contre* de la responsabilisation de nos actes.

77

Module 2 • Intégration et réinvestissement

LA COMMUNICATION ORALE ET LA LITTÉRATIE MÉDIATIQUE

Tu as l'occasion de faire un **projet en communication orale** et un **projet en littératie médiatique** par module. Pour te guider, une démarche et des trucs te sont proposés.

Présenter un monologue

Un monologue est un discours prononcé par une seule personne. Les artistes ont parfois recours au monologue pour raconter des histoires drôles ou tristes sur leur propre vie, sur celle de gens célèbres ou sur des événements de l'actualité. Les monologues servent à faire réagir.

Présenter un monologue

Dans un monologue, on utilise l'humour et l'ironie pour révéler le côté comique d'une expérience ou d'un événement.

Démarche

- Choisis un sujet ou une expérience que tu as vécue et qui est susceptible d'intéresser ton public.
- Détermine le style de monologue. Par exemple, joueras-tu un personnage ou resteras-tu toi-même ?
- Commence ton monologue par une phrase qui donnera au public une idée du sujet que tu veux aborder. Par exemple : «Tout a commencé quand j'ai accepté de garder mon neveu.»
- Pense aux parties de ton texte qui devraient provoquer le rire durant ton monologue. Fais des pauses avant de dire ces parties, de sorte que le public s'attende à une phrase vraiment drôle. Fais une pause aussi après, pour laisser aux gens le temps de rire !
- Utilise un ton expressif pour donner vie aux mots et au personnage.
- Choisis une fin qui fera rire ou sourire ton public.

POUR T'AIDER...

- Note sur des fiches les points importants du monologue.
- Exerce-toi devant un miroir pour afficher les bonnes expressions faciales.
- N'hésite pas à intégrer des jeux de mots à ton monologue.

PASSE À L'ACTION !

Prépare un monologue sur une exp[...] sur un sujet de ton choix. Présente[...] à voix haute.

RÉFLÉCHIS...

124

Littératie en action

Analyser des messages publicitaires

Les publicitaires ont souvent recours à l'humour dans leurs messages pour toucher et amuser leur public cible. Certaines publicités font appel à l'ironie et à l'exagération. L'important est de capter l'attention du public. Observe les deux publicités suivantes.

128

Littératie en action

PASSE À L'ACTION !

Fais preuve d'esprit critique. Avec un ou une camarade, trouve dans les magazines et les journaux cinq messages publicitaires dans lesquels l'humour est utilisé. Préparez une affiche pour présenter les messages trouvés et expliquer en quoi chaque message est humoristique.

Analyser des messages publicitaires

Quelle est l'efficacité des messages publicitaires humoristiques ?

- Déterminez de quel élément du message provient l'humour : des mots, des images ou des deux.
- Identifiez le public cible de chaque message et la technique utilisée (ex. : exagérations, photos humoristiques) pour intéresser ce public.
- Dégagez et expliquez le point de vue exprimé par le message et l'image.
- Évaluez l'efficacité de l'humour pour faire comprendre chaque message.

POUR T'AIDER...

- Demande-toi si les mots et expressions utilisés sont exagérés et évocateurs d'images.
- Cherche dans le texte des slogans ou des mots percutants et accrocheurs qui sont susceptibles d'aider le public à se souvenir du message publicitaire.
- Songe à la réaction que tu as devant cette publicité. Demande-toi qui pourrait s'intéresser à cette publicité.

- Avec une autre équipe, discutez des résultats de votre analyse des messages publicitaires.
- Discutez des messages qui utilisent l'humour avec le plus d'efficacité.

RÉFLÉCHIS... En quoi le fait de reconnaître les techniques employées a-t-il été utile pour analyser les messages publicitaires ? Justifie ta réponse.

129

Module 3 • Littératie médiatique

Tu évalues ensuite des points de ta démarche à l'aide de la rubrique **Réfléchis...**

L'INTÉGRATION ET LE RÉINVESTISSEMENT

Différents genres de textes (narratif, informatif) sont proposés pour te permettre de réinvestir les stratégies que tu as apprises dans d'autres modules et les nouvelles stratégies que tu viens de mettre en application.

Dans la rubrique **Comparer des textes**, tu as l'occasion de comparer le texte lu avec d'autres textes qui portent sur le même sujet.

La section **À l'œuvre !** te propose une tâche d'évaluation. La tâche combine l'écriture, la lecture et la communication orale et comporte une démarche. Elle est toujours en lien avec le thème.

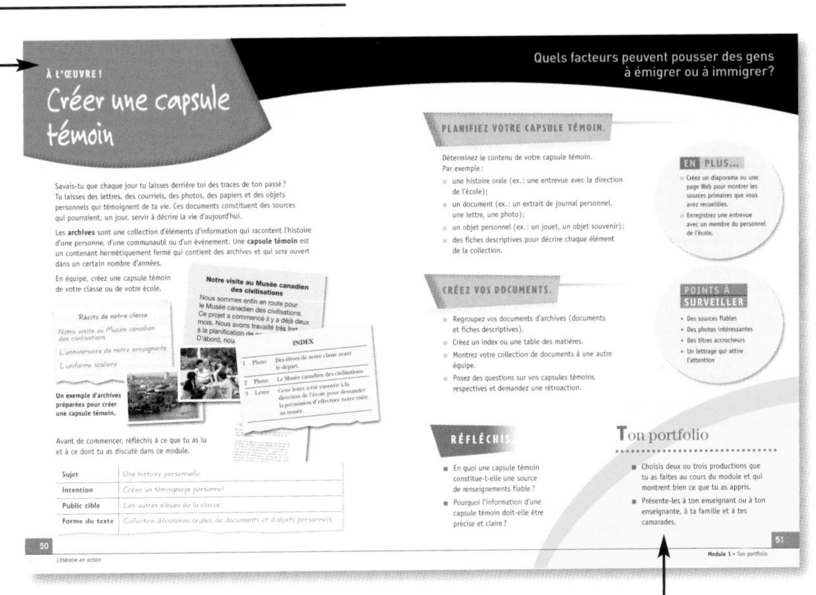

Dans cette section, tu choisis également les productions que tu ajouteras à ton **portfolio.**

Un nouveau départ !

MODULE 1

Quels facteurs peuvent pousser des gens à émigrer ou à immigrer?

Objectifs d'apprentissage

Dans ce module, tu vas faire les tâches suivantes:

- écouter et lire des reportages sur des facteurs qui poussent les gens à émigrer ou à immigrer, et en discuter;
- utiliser des stratégies pour lire des reportages, des articles de fond, une chanson, une bande dessinée, une lettre d'amitié et un récit;

- rédiger un reportage sur un groupe de la mosaïque culturelle canadienne;

- analyser des sources d'information pour déterminer leur fiabilité.

À la fin de ce module, tu utiliseras tes connaissances pour créer une capsule témoin de ta classe.

En route...

Prépare-toi !

- Fais des liens. À quelles situations ces photos te font-elles penser ?
- Pose des questions. Observe les photos. Quels facteurs pourraient pousser ces gens à quitter leur pays ?

Parlons-en!

1. Discute avec un ou une camarade. À partir d'une de ces photos, invente une histoire pour expliquer ce qui s'est passé. Échange ton histoire avec ton ou ta camarade. En quoi vos histoires sont-elles semblables ?

2. Forme une équipe avec des camarades. Comment ces photos pourraient-elles servir à établir le contexte d'un film ? Notez ce qui vous a servi d'indices sur ces photos.

Quand tu parles...

Attends ton tour pour parler et n'interromps pas les autres.

Utilise un vocabulaire précis pour exprimer tes idées.

Fais preuve de réalisme dans ton histoire en t'appuyant sur ce que présentent les photos (ex.: les voitures et les vêtements peuvent donner des indices).

Résume les idées principales dans tes propres mots.

Quand les autres parlent...

Écoute attentivement.

Pose des questions, au besoin, pour vérifier si tu as bien compris.

Respecte les idées des autres.

Retiens les idées principales.

Lire des reportages

Un reportage est le compte rendu d'un événement ou d'une situation. On répond généralement à cinq questions clés : *qui, quoi, quand, où* et *pourquoi*. Analyse le reportage suivant.

Les Autochtones sont plus nombreux à migrer vers les villes

Lewis Cardinal, chef d'une communauté autochtone, a parfaitement résumé la situation cette semaine. Né dans une réserve dans le nord de l'Alberta, Lewis était encore jeune quand sa famille a déménagé à Edmonton en 1971. Pourquoi avoir choisi Edmonton ? « C'est ma maison, répond-il. Dans cette ville, ma famille a des racines qui remontent à des milliers d'années. »

Les propos du chef Cardinal confirment les nouvelles statistiques selon lesquelles Edmonton compte la deuxième plus importante population autochtone parmi les villes canadiennes.

Il y a des milliers d'années, les Autochtones ont fait de cette vallée fluviale un « lieu de rencontre ». C'est positif et encourageant de voir que leurs descendants sont de plus en plus nombreux à y trouver leur place, et qu'ils profitent de la croissance économique pour améliorer leurs conditions de vie.

En 2008, Statistique Canada rapportait que près de 62 % des Autochtones de l'Alberta vivaient dans les villes. Cela représentait un bond de 8 % par rapport à la dernière décennie.

Alors que les problèmes et les revendications territoriales des réserves semblent retenir toute l'attention, les données révèlent que beaucoup d'Autochtones migrent vers les villes pour étudier, trouver un emploi et exploiter une entreprise. Ils sont en train de se forger une nouvelle identité à Edmonton, tout en conservant leur héritage autochtone.

Source : Traduction libre. *More Aboriginal People Moving to Cities*, reproduit avec l'autorisation du Edmonton Journal Group Inc., un partenaire de CanWest.

Faire des liens
- Que sais-tu déjà sur le sujet ?
- Cela te rappelle-t-il quelque chose que tu as déjà lu ou entendu ?
- Qu'as-tu déjà lu qui ressemble à ce texte ?

Trouver le sens d'un mot nouveau
- En quoi le contexte peut-il t'aider à comprendre ce mot ?
- À quels autres mots ce mot nouveau te fait-il penser ?

Vérifier sa compréhension
- S'il y a des éléments visuels, en quoi t'aident-ils à comprendre le texte ?
- Quelles questions te poses-tu en lisant le texte ?
- Qu'as-tu compris ?

Certificat de taxe d'entrée. Document authentique à l'époque où le Canada n'était pas encore officiellement bilingue.

Interpréter des documents

On utilise des documents provenant de sources primaires et de sources secondaires pour expliquer des événements passés. Une source primaire est un document portant sur un événement rapporté par une personne qui a vécu cet événement ou qui en a été témoin. Les lettres, les journaux personnels, les photographies et les reportages peuvent tous être des sources primaires. Quand tu interprètes une source primaire, pose-toi les questions suivantes:

- Quelle est l'origine de la source ?
- Quand et pourquoi la source primaire a-t-elle été créée ?
- Où la source primaire a-t-elle été créée ?
- De quelle sorte de document s'agit-il ?
- Que m'apprend ce document sur l'époque ou l'événement ?
- Quelles questions sont laissées sans réponse ?
- L'information contient-elle des préjugés ou des stéréotypes ?
- Est-ce que le document est authentique ou contrefait ? Comment pourrais-je vérifier ?

Les photos et les objets personnels peuvent servir de sources primaires.

Résumer l'information à l'aide d'un organisateur graphique

Un organisateur graphique est utile pour résumer les idées principales d'un reportage.

Qui ? Les Autochtones

Quoi ? Ils migrent vers les villes

Quand ? En 2008

Où ? Edmonton, Alberta

Pourquoi ? Trouver un emploi, étudier

RÉFLÉCHIS...

Quand tu liras d'autres reportages, quelles stratégies te seront utiles ?

Les ouvriers

STRATÉGIES DE LECTURE

- Fais des liens.
- Trouve le sens d'un mot nouveau.
- Vérifie ta compréhension.
- Interprète des documents.
- Résume l'information.

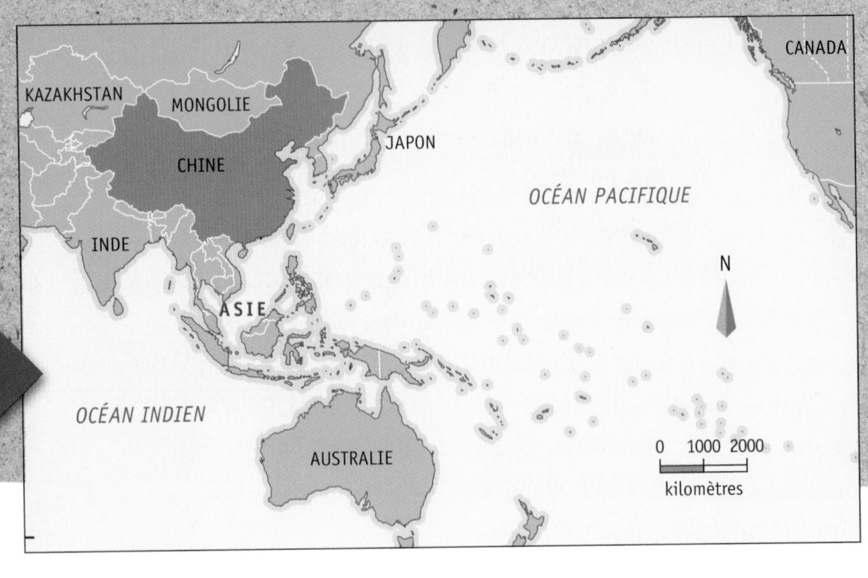

La Chine est un grand pays qui occupe la plus grande partie de l'est de l'Asie.

Entrepreneur, entrepreneure: personne chargée d'effectuer des travaux, de diriger un projet de construction.

Ligne ferroviaire: chemin de fer.

L'ARRIVÉE AU CANADA

Aux élections de 1878, John A. MacDonald fait la promesse de construire un chemin de fer qui traverserait le pays d'une extrémité à l'autre. Ce projet débute en 1880 quand la compagnie de chemin de fer du Canadien Pacifique obtient le contrat de construction du chemin de fer.

Cependant, construire la partie qui traverse les Rocheuses est un travail très dangereux et les **entrepreneurs** ont de la difficulté à trouver des ouvriers. De plus, ils ne veulent pas payer cher pour la main-d'œuvre. Alors, des gens sont chargés de se rendre dans le sud de la Chine afin de convaincre des Chinois d'émigrer au Canada. À cette époque, la plupart des fermiers du sud de la Chine vivent dans une extrême pauvreté et rêvent d'une vie meilleure. Ils voient donc ce projet de construction comme un moyen d'améliorer leur situation et ils acceptent de travailler en échange de peu d'argent.

LA VIE AU CANADA

Environ 17 000 Chinois, surtout des hommes, émigrent au Canada entre 1881 et 1884 pour travailler à la construction du chemin de fer. Leurs conditions de vie sont épouvantables. En plus de recevoir peu d'argent pour leur travail, ils font les travaux les plus dangereux, comme percer des tunnels dans les rochers en faisant du dynamitage. Plusieurs meurent dans des explosions ou sont écrasés par des rochers. Certains ouvriers sont même morts de malnutrition. On estime que 2 ouvriers chinois ont perdu la vie pour chaque 1,6 kilomètre de **ligne ferroviaire** construite dans les Rocheuses.

Une fois la construction du chemin de fer terminée, en 1885, par Jacques Laberge, journaliste

certains Chinois rejoignent leur famille en Chine. Ceux qui décident de rester au Canada s'installent surtout dans les villes situées le long des voies ferrées. Ils se trouvent des emplois comme cuisiniers, vendeurs, fermiers, buandiers, couturiers ou serveurs. Comme le gouvernement n'a plus besoin d'ouvriers chinois pour la construction du chemin de fer, il établit des lois pour décourager l'immigration chinoise au Canada. L'une d'elles est la taxe d'entrée. Selon cette loi adoptée en 1885, tous les immigrants chinois doivent payer une taxe pour entrer au Canada. En 1923, une nouvelle loi interdit l'immigration chinoise au Canada. C'est seulement à partir de 1940 que ces lois commencent à changer et que les Canadiens et Canadiennes d'origine chinoise obtiennent les mêmes droits que l'ensemble de la population canadienne.

AUJOURD'HUI

Aujourd'hui, les immigrés au Canada sont majoritairement Chinois. Depuis les années 1990, près de 20 % des nouveaux immigrants sont de nationalité chinoise. La motivation principale de cette émigration au Canada reste encore la recherche de meilleures conditions de vie. Les Canadiens et les Canadiennes d'origine chinoise représentent une population de plus d'un million de personnes. Grâce à leur persévérance et à leur détermination, ces Canadiens et Canadiennes contribuent toujours à la mosaïque multiculturelle de notre pays. Ils occupent des emplois dans des secteurs variés comme les ventes et les services, les affaires, l'administration et la finance. Plusieurs travaillent aussi dans les secteurs de la gestion, de la transformation, de la fabrication et des services publics.

Cette jeune fille montre fièrement le certificat de taxe d'entrée de son grand-père. Il s'agit d'un document authentique datant de l'époque où le Canada n'était pas encore officiellement bilingue.

Des Chinois construisent le chemin de fer du Canadien Pacifique dans les Rocheuses en 1884.

Plusieurs Chinois qui sont restés au Canada après la construction du chemin de fer sont devenus buandiers et couturiers dans les villes.

La communauté

STRATÉGIES DE LECTURE

- Fais des liens.
- Trouve le sens d'un mot nouveau.
- Vérifie ta compréhension.
- Interprète des documents.
- Résume l'information.

Haïti fait partie d'une île située dans la mer des Antilles.

L'ARRIVÉE AU CANADA

La première vague d'immigrés de la communauté haïtienne arrive au Canada dans les années 1960 afin d'échapper au **régime dictatorial** instauré par les présidents Duvalier (père et fils). Une population encore plus importante d'immigrés arrive par la suite lorsque la province de Québec met en place le programme *Opération mon pays*. Cette initiative du gouvernement québécois permet à de nombreux Haïtiens et Haïtiennes de venir s'installer dans cette province à titre d'étudiants ou de visiteurs.

LA VIE AU CANADA

La plus grande partie de la population haïtienne du Canada est née **à l'étranger**. En fait, la majorité des immigrants d'origine haïtienne qui vivent au Canada sont arrivés entre 1976 et 1996.

La population haïtienne du Canada contribue grandement à la société canadienne. Elle compte de nombreux ingénieurs, médecins, enseignants, avocats, écrivains, artistes et musiciens dont plusieurs se sont illustrés dans le monde par leur travail et leur talent. Elle comporte également des ouvriers et du personnel de service dont le Canada a fortement besoin.

Port-au-Prince, la capitale d'Haïti, à la suite du tremblement de terre de janvier 2010.

haïtienne

par Jacques Laberge, journaliste

Presque tous les Canadiens et Canadiennes d'origine haïtienne parlent au moins une des deux **langues officielles** du pays. Au contraire de la plupart des autres immigrants, ils forment un groupe dont la majorité parle le français. En 2001, 54 % des Canadiens et Canadiennes d'origine haïtienne communiquaient en français, alors que 42 % étaient bilingues. Seulement 2 % ne pouvaient parler que l'anglais. Sur le plan linguistique, la communauté haïtienne s'est facilement intégrée à son pays d'accueil.

AUJOURD'HUI

D'après Statistique Canada, on compte présentement plus de 82 000 Canadiens et Canadiennes d'origine haïtienne répartis dans toutes les provinces du Canada. C'est au Québec, surtout à Montréal, que l'on trouve la plus grande communauté haïtienne du Canada. Il y a également un nombre assez important de Canadiens et Canadiennes d'origine haïtienne en Ontario, au Nouveau-Brunswick, en Colombie-Britannique et en Alberta.

En janvier 2010, un puissant tremblement de terre frappe Haïti. À peine quelques heures après le séisme, le gouvernement canadien envoie des équipes d'urgence, civiles et militaires, sur les lieux. En mars 2010, déjà plus de 200 enfants arrivent au Canada pour se faire adopter.

Plusieurs maisons ont été détruites lors du tremblement de terre.

À la suite du tremblement de terre de janvier 2010, de nombreux enfants haïtiens ont émigré au Canada pour se faire adopter.

Régime dictatorial : forme de gouvernement dont le pouvoir est entre les mains d'une seule personne.

À l'étranger : dans un autre pays.

Langue officielle : langue qui est spécifiquement reconnue dans la Constitution ou les textes de loi d'un pays, d'un État ou d'une organisation quelconque.

Les petits

STRATÉGIES DE LECTURE

- Fais des liens.
- Trouve le sens d'un mot nouveau.
- Vérifie ta compréhension.
- Interprète des documents.
- Résume l'information.

Les orphelins anglais qui ont émigré au Canada provenaient de l'Angleterre, de l'Écosse, du Pays de Galles et de l'Irlande.

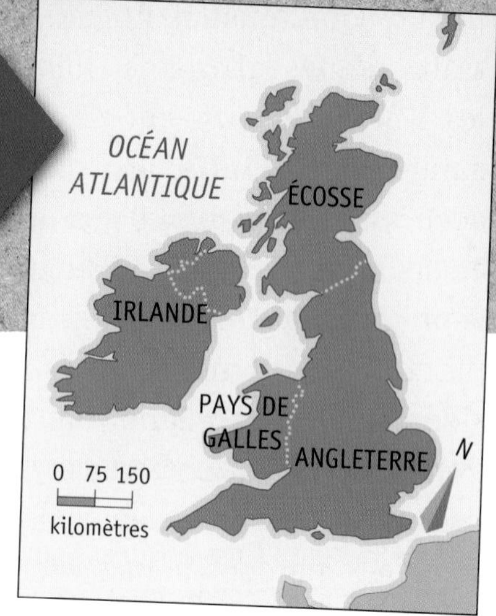

L'ARRIVÉE AU CANADA

Environ 100 000 enfants provenant de la Grande-Bretagne émigrent au Canada entre 1860 et 1930. Ces enfants viennent d'institutions qui s'occupent d'enfants pauvres, abandonnés ou **orphelins**. Ils arrivent donc au Canada seuls, sans parents ni autres adultes de leur famille. Certains de ces enfants choisissent d'émigrer au Canada. Souvent, ce sont les institutions qui décident pour eux.

LA VIE AU CANADA

En général, ces immigrés anglais sont des filles et des garçons âgés entre 7 et 15 ans. La plupart des gens pensent que ces enfants n'ont rien à dire sur ce qu'il leur arrive. Ainsi, ces jeunes immigrés ne sont pas consultés et ne peuvent pas choisir leur **famille d'accueil**. Des centaines d'enfants sont même séparés de leurs frères et sœurs. Certains petits immigrés anglais se retrouvent dans des familles où ils se sentent bien et vivent de bonnes expériences. Pour d'autres, ce n'est pas le cas.

À cette époque, on considère que 12 ans est un âge raisonnable pour travailler. Les jeunes immigrés anglais se retrouvent donc dans des fermes où ils servent de **main-d'œuvre** bon marché. La plupart de ces enfants viennent des grandes villes de la Grande-Bretagne et ne connaissent rien aux travaux de la ferme. La vie n'est pas facile pour eux. Certains subissent de mauvais traitements et ne reçoivent pas de salaire pour leur travail même s'ils y ont droit. Plusieurs familles ne laissent pas ces enfants aller à l'école et plusieurs écoles refusent ces immigrés dans leurs rangs.

En 1925, à la suite d'une enquête sur la mort d'un petit immigré anglais, le gouvernement adopte une loi rendant illégal d'envoyer au Canada des enfants de moins de 14 ans sans leur famille. Toutefois, les enfants de 14 ans et plus peuvent toujours émigrer sans leurs

Orphelin, orpheline: enfant qui a perdu l'un de ses parents ou les deux.

Famille d'accueil: personne ou couple qui accueille dans son foyer un ou des enfants confiés par un établissement.

Main-d'œuvre: ensemble des personnes qui travaillent en échange d'un salaire.

parents. Enfin, en 1939, le Canada traverse une crise économique et les familles qui vivent en milieu rural n'ont plus d'argent pour accueillir les jeunes immigrés anglais et les faire travailler. Alors, le projet des petits immigrés anglais prend fin. Devenus adultes, plusieurs de ces immigrés ont servi avec les forces canadiennes et britanniques pendant les deux guerres mondiales.

AUJOURD'HUI

Cette vague massive d'immigration a beaucoup marqué le tissu social du Canada. C'est pourquoi le gouvernement canadien décrète 2010 l'année des petits immigrés anglais. Postes Canada a créé un timbre commémoratif pour souligner cette page de notre histoire. Les jeunes immigrés anglais se trouvent dans toutes les provinces canadiennes. Ils se sont intégrés à la multitude des cultures qui forment aujourd'hui l'identité canadienne.

Un garçon travaillant à la ferme.

Des enfants arrivant à Saint John, au Nouveau-Brunswick.

Les réfugiés de

STRATÉGIES DE LECTURE

- Fais des liens.
- Trouve le sens d'un mot nouveau.
- Vérifie ta compréhension.
- Interprète des documents.
- Résume l'information.

Ce ruban tricolore était porté par les Hongrois et Hongroises en signe de solidarité lors de la révolution de 1956.

Union soviétique: ensemble d'États (aujourd'hui la Russie) qui étaient dirigés autoritairement par un seul parti, le Parti communiste de l'Union soviétique.

Réfugié, réfugiée: personne qui a quitté son pays d'origine pour échapper à un danger.

Mosaïque culturelle canadienne: ensemble de groupes ethniques différents de langues et de cultures qui cohabitent dans la société canadienne.

L'ARRIVÉE AU CANADA

Le 23 octobre 1956, une manifestation d'étudiants à Budapest, en Hongrie, se transforme en une marche de protestation contre le régime communiste soviétique. Plus de 100 000 personnes y participent. Le 24 octobre 1956, la population se révolte et descend dans les rues de plusieurs autres villes hongroises pour demander la liberté de la presse et de l'opinion, des élections libres et l'indépendance de l'**Union soviétique**.

Le 4 novembre 1956, les troupes soviétiques interviennent et mettent fin aux espoirs de liberté et d'indépendance. Des milliers de Hongrois et Hongroises sont emprisonnés et des centaines sont condamnés à mort. D'autres, craignant de devenir victimes des autorités soviétiques, fuient le pays. Ils préfèrent émigrer au Canada plutôt que de vivre dans des conditions hostiles.

LA VIE AU CANADA

En 1956 et 1957, le gouvernement canadien adopte des mesures qui permettent à plus de 37 000 **réfugiés** hongrois de s'établir au pays. Le ministre de l'Immigration de l'époque, J. W. Pickersgill, affirme que ces réfugiés pourront accroître la main-d'œuvre du pays, car ils possèdent des compétences dont le Canada a grand besoin. Il invite les Canadiens et Canadiennes à accueillir ces réfugiés et à les aider à apprendre nos langues et nos coutumes.

Ces réfugiés constituent la plus grande vague d'immigrés hongrois à venir s'installer au Canada. Ce groupe, contrairement aux Hongrois et Hongroises arrivés avant, est surtout constitué de professionnels et de gens de métiers qualifiés. En peu de temps, la population hongroise s'intègre facilement à la société canadienne. La plupart apprennent l'anglais ou le français.

AUJOURD'HUI

Au recensement de 2006, on compte 315 510 Canadiens et Canadiennes d'origine hongroise. La plupart, soit 90 %, habitent en Ontario et dans les provinces des Prairies. Les Hongrois forment un groupe culturel et social très diversifié. Leur contribution à la **mosaïque culturelle canadienne** est remarquable. Ils s'illustrent dans les arts, les sciences, les sports et la musique. Ils sont reconnus pour l'introduction de compétitions sportives comme le water-polo et l'escrime. De plus, la broderie hongroise est appréciée partout dans le monde.

la Révolution hongroise

par Jacques Laberge, journaliste

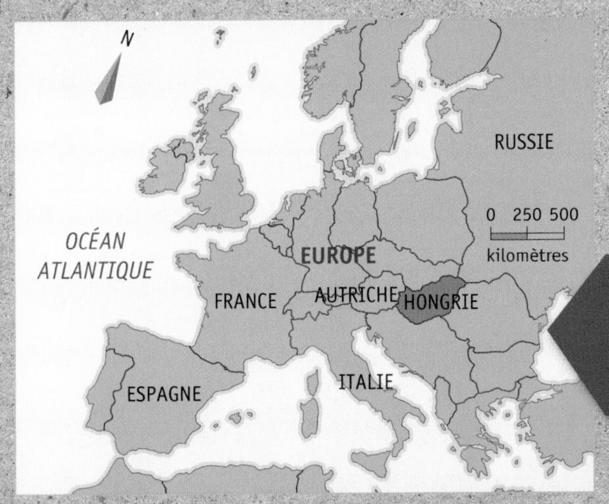

De nombreux réfugiés hongrois émigrent d'abord en Autriche. Ensuite, ils quittent ce pays pour se rendre au Canada.

IMM 1000 (REV. 1-8-55)

M.S. „BERLIN" 318
NORDDEU C ER LLOYD
Bremerhaven - Halifax
JAN 7 1957
FOR USE OF CARRIER
CA5

CANADIAN IMMIGRATION IDENTIFICATION CARD
(To be shown to Examining Officer at port of arrival)

SURNAME
RETI

GIVEN NAMES
Ibolyka

SIGNATURE OF PASSENGER
RETI IBOLYA

STATUS
IMMIGRANT - "LANDED"
IMMIGRANT - "REÇU"

PORT STAMP
CANADA
IMMIGRATION
JAN 8 1957
HALIFAX H. Q.

FOLD HERE

DULY STAMPED BY AN IMMIGRATION OFFICER, THIS CARD IS EVIDENCE OF YOUR STATUS IN CANADA. IT IS REQUIRED FOR CUSTOMS CLEARANCE AND WILL ALSO PROVE USEFUL FOR OTHER PURPOSES.

RETAIN IT CAREFULLY

FRANÇAIS AU VERSO

Les réfugiés hongrois obtenaient une carte d'immigration comme celle-ci à leur arrivée au Canada.

Comme les agents d'immigration à Halifax étaient surtout anglophones, ils remplissaient la plupart du temps le côté anglais de la carte.

Des interprètes aidaient les réfugiés hongrois lors de leur immigration au Canada.

1957 Január utban Canadába a "Berlin" hajon.

Cette carte postale montre le *Berlin* qui a transporté des Hongrois au Canada.

Les réfugiés

STRATÉGIES DE LECTURE

- Fais des liens.
- Trouve le sens d'un mot nouveau.
- Vérifie ta compréhension.
- Interprète des documents.
- Résume l'information.

Le Vietnam est un pays de l'Asie du Sud-Est.

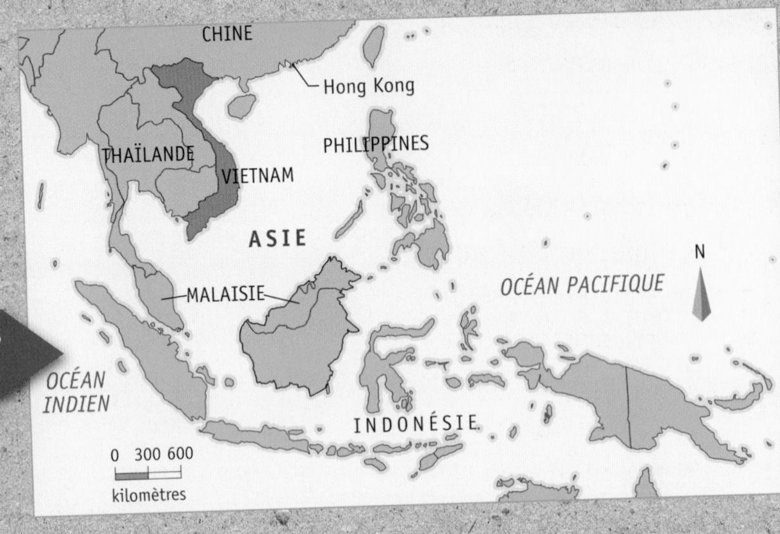

L'ARRIVÉE AU CANADA

Plus de 840 000 réfugiés quittent le sud du Vietnam entre 1975 et 1995 pour échapper au **régime communiste** qui contrôle ce pays depuis la chute de Saïgon en 1975. En 1979 et 1980, des centaines de milliers de personnes prennent la mer sur des embarcations fragiles qui risquent de couler. Malgré tout, ils acceptent ce risque pour échapper à la **persécution** et accéder à la liberté. Plusieurs Canadiens et Canadiennes parrainent le voyage de ces réfugiés vietnamiens. Avec l'aide du gouvernement, quelque 70 000 Vietnamiens, plus tard appelés *boat people* (les réfugiés de la mer), viennent s'établir au Canada. Le ministre de l'Immigration de l'époque, Ron Atkey, encourage les Canadiens et Canadiennes à venir en aide à ces réfugiés en les accueillant au Canada.

LA VIE AU CANADA

L'intégration de ces *boat people* à la société canadienne est pénible. Contrairement aux immigrants vietnamiens qui sont déjà établis au Canada, ceux-ci proviennent de différentes classes sociales. Certains ont habité la ville tandis que d'autres sont des paysans. Aussi, la plupart de ces réfugiés ne parlent ni l'anglais ni le français et n'ont aucune famille au Canada. De plus, ils arrivent au pays alors que le Canada traverse une période économique difficile. Malgré ces défis, ces réfugiés de la mer vietnamiens réussissent à se faire une place.

Les plus jeunes et ceux qui parlent l'anglais ou le français trouvent plus facilement un emploi. Malgré tout, ces immigrants mettent en place diverses institutions communautaires. Ils créent également de nombreux établissements commer-

par Jacques Laberge,
journaliste

ciaux tels que des restaurants, des épiceries et des pharmacies.

AUJOURD'HUI

Au **recensement** de 2006, la communauté vietnamienne du Canada comptait plus de 150 000 personnes. Les plus nombreuses communautés vietnamiennes se trouvent à Toronto, à Montréal et aussi à Vancouver, à Calgary et à Edmonton. Ces gens ont rebâti leur vie. Plusieurs histoires de réussite témoignent de la grande contribution des citoyens et citoyennes d'origine vietnamienne à la mosaïque culturelle canadienne.

Une embarcation utilisée par les réfugiés pour s'enfuir du Vietnam. Celle-ci a échoué sur les côtes de la Thaïlande en 1979.

Un jeune réfugié vietnamien en attente au centre d'immigration à Montréal, au Québec.

Les réfugiés vietnamiens devaient parfois attendre dans des camps avant d'être admis dans un autre pays.

Régime communiste : forme de gouvernement qui encourage la mise en commun des moyens de production et la suppression des classes sociales.

Persécution : traitement cruel que l'on fait subir à quelqu'un dans le but de le maltraiter physiquement ou de le tourmenter moralement.

Recensement : opération de dénombrement qui permet de connaître la taille de la population d'un pays à une date donnée.

Le *Komagata Maru*

Les Indiens qui voyageaient à bord du *Komagata Maru* en 1914 à destination de Vancouver se sont vu refuser l'entrée au Canada.

Prépare-toi !

- Fais des liens. Comment les éléments visuels pourraient-ils t'aider à mieux comprendre le texte ? Discutes-en avec un ou une camarade.
- Pose des questions. Quelles questions pourrais-tu te poser au sujet de ce texte ? Notes-en deux.

Au tournant du XXe siècle, environ 2000 personnes originaires de l'Inde vivaient en Amérique du Nord. La plupart d'entre elles étaient venues pour trouver du travail et une vie meilleure. Même si la communauté indienne était petite comparativement au reste de la population, certains Canadiens et Canadiennes se sentaient menacés par les nouveaux arrivants.

En 1907, le gouvernement a commencé à limiter les droits civils des Indiens. En plus de leur retirer leur droit de vote et celui de faire partie d'un jury, il a limité les emplois qu'ils pouvaient occuper.

Même si le gouvernement était favorable à l'immigration à l'époque, il a trouvé des moyens de limiter la venue des immigrants indiens. D'abord, il a adopté une loi qui obligeait tous les immigrants à avoir au moins 200 $ en argent comptant (la plupart des Indiens gagnaient environ 10 ¢ par jour). La loi stipulait également que seuls les immigrants qui partaient directement de leur lieu de naissance – un «passage sans escale» – pouvaient entrer au Canada. Le gouvernement s'est ensuite discrètement assuré que toutes les routes directes entre l'Inde et le Canada étaient difficiles, voire impossibles d'accès.

«Nous sommes déterminés à en faire une cause type et, si l'entrée dans votre pays nous est interdite, les choses n'en resteront pas là.»

– Gurdit Singh, organisateur de la traversée du *Komagata Maru*, 1914.

Affréter: louer.

Commémorer: rappeler par une cérémonie le souvenir d'une personne ou d'un événement.

Résultat ? Les Indiens ont été pratiquement exclus de l'immigration au Canada – même si l'Inde faisait partie de l'Empire britannique à l'époque, tout comme le Canada.

En 1914, un groupe de sujets britanniques de la région du Pendjab a décidé de défier la Loi sur le passage sans escale. Ces gens espéraient inciter le gouvernement à modifier la Loi. Le groupe a **affrété** un navire appelé *Komagata Maru* qui a levé les voiles en direction de Vancouver.

Quand le navire est arrivé à destination, les 376 passagers ont été retenus à bord pendant 2 mois. À la fin, la communauté indo-canadienne a perdu sa cause devant la Cour suprême et le *Komagata Maru* a été forcé de retourner en Inde. Seulement 24 personnes ont été autorisées à rester au Canada.

La route suivie par le *Komagata Maru* en 1914.

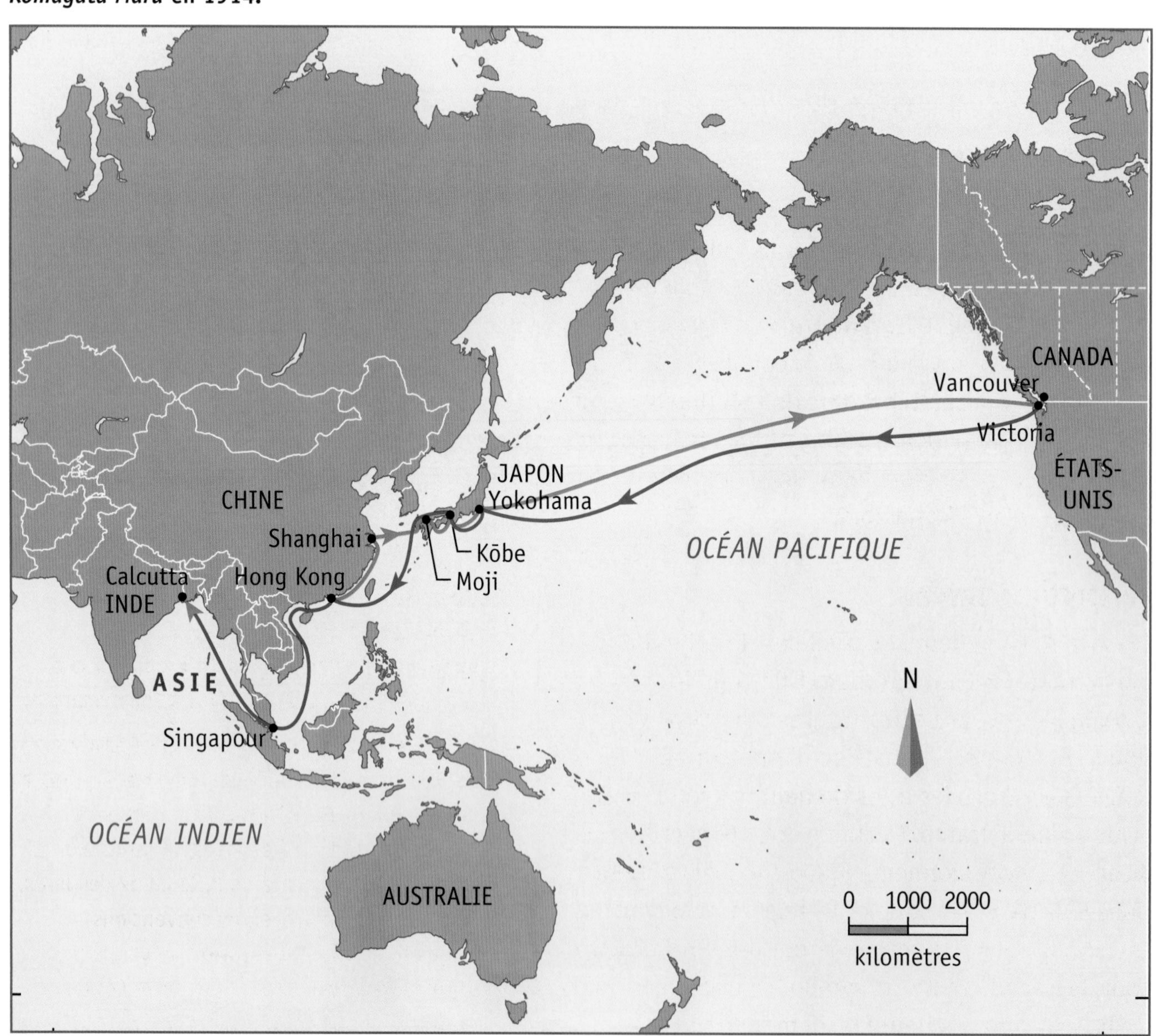

Ottawa prêt à reconnaître l'incident du *Komagata Maru*

Le 13 mars 2007
Jennifer Ditchburn, LA PRESSE CANADIENNE

OTTAWA – Un monument commémoratif dans le parc Stanley à Vancouver et un timbre commémoratif sont des options que le gouvernement étudie afin de reconnaître officiellement l'incident du *Komagata Maru.*

Une mosaïque à Vancouver.

Un saut dans le temps

En 2007, le gouvernement fédéral a demandé au député Jim Abbott de consulter la communauté indo-canadienne en vue de déterminer la meilleure façon de **commémorer** le *Komagata Maru*. Le rapport Abbott ne recommandait pas d'excuses. Par contre, il suggérait différents moyens de reconnaître l'incident, comme un timbre commémoratif, une marche commémorative nationale ou une statue dans le parc Stanley à Vancouver.

Perspectives d'avenir

La société canadienne actuelle est le reflet de l'histoire de son immigration. Elle constitue une mosaïque de gens et de cultures. La politique gouvernementale en matière d'immigration prône l'ouverture. Mais les défis demeurent nombreux pour les immigrants. Certains doivent sacrifier la situation professionnelle et sociale qu'ils avaient dans leur pays d'origine et lutter pour trouver un emploi. Des préjugés existent toujours. Malgré tout, le Canada reste un symbole d'espoir et de liberté pour les peuples du monde entier.

Réagis au texte.

1. Quels éléments dans le texte soutiennent l'idée que les personnes qui quittent leur pays pour émigrer au Canada ne reçoivent pas toutes le même accueil ? Discute de cette question avec un ou une camarade.
2. Est-ce important de connaître les événements de l'histoire du Canada, comme l'incident du *Komagata Maru* ? Discutes-en en équipe et justifie ton opinion.

Enrichis ton vocabulaire.

3. Il existe plusieurs façons de découvrir le sens d'un mot nouveau. Tu peux utiliser le contexte pour t'aider. Voici des mots tirés du texte : *arrivant, escale, prôner, préjugé.* Définis-les dans tes propres mots à l'aide du contexte.

COFFRE À OUTILS **ÉCRITURE**

- Observe le texte. En quoi les documents et la citation présentés dans ce texte appuient-ils le message du texte ? Compare ta réponse avec celle d'un ou d'une camarade.
- Travaille avec un ou une camarade. Analysez ce reportage et, à l'aide d'exemples, expliquez comment chaque élément d'écriture a été mis en application (les idées, la structure du texte, le style et la voix, le choix des mots, la fluidité des phrases, les conventions linguistiques, la présentation). Comparez votre travail avec celui d'une autre équipe.

Mon pays,

Prépare-toi !

- Utilise tes connaissances. Que connais-tu au sujet de la dualité linguistique et de la diversité canadienne ? Que connais-tu au sujet d'Adrienne Clarkson ?
- Fais des liens. Lis le titre et les intertitres. Quels liens peux-tu faire avec tes expériences ?

une mosaïque culturelle !

par la très honorable Adrienne Clarkson

La dualité linguistique et la diversité canadienne sont deux éléments essentiels à la façon dont nous nous définissons comme Canadiens et Canadiennes, selon la très honorable Adrienne Clarkson. Madame Clarkson a été gouverneure générale pendant six ans, jusqu'en septembre 2005. Elle a été la première immigrante à occuper ce poste. Dans cet article, madame Clarkson raconte son arrivée au Canada en tant que réfugiée avec ses parents en 1942. Madame Clarkson a démontré toute sa vie un grand intérêt pour la langue française.

Le Canada, terre d'accueil

Le Canada est un pays vieux de plusieurs siècles, où la liberté d'expression a sa place.

Ma famille est entrée au Canada comme réfugiée en 1942 après la chute de Hong Kong. La traversée de Hong Kong à New York a pris deux mois. Nous sommes arrivés à Ottawa sans papiers officiels. Mon histoire témoigne de l'évolution de ce pays.

Mes parents, William et Ethel Poy, étaient originaires de Hong Kong. Comme nous étions capables de nous exprimer en anglais, nous n'avons pas eu de problèmes à nous faire comprendre. Je me rappelle à quel point le Canada était britannique lorsque nous sommes arrivés. Et pourtant, nous vivions dans un lieu qui était francophone, c'est-à-dire la basse-ville d'Ottawa. Les familles qui nous ont accueillis étaient de langue française mais parlaient aussi l'anglais.

L'apprentissage du français

Mon père a obtenu un emploi. Il s'est rendu compte que presque tous les gens avec qui il travaillait étaient francophones et bilingues. Ils parlaient le français entre eux et lui adressaient la parole en anglais. Ainsi, il a compris l'importance d'être bilingue au Canada et m'a demandé si je voulais apprendre le français. Cela me semblait extrêmement intéressant. Toutefois, comme lui-même et ma mère n'en avaient pas le temps, j'ai été la seule à étudier le français. Plus tard, nous avons appris que je ne pourrais pas aller dans une école francophone. À cette époque, il fallait être catholique pour recevoir une éducation en français. Alors, je suis allée en France après avoir obtenu mon diplôme universitaire. J'ai suivi un cours et obtenu un diplôme d'enseignement du français.

Le premier jour, le professeur a dit: «Vous êtes au cœur de la civilisation occidentale. La France est l'héritière naturelle de la Grèce et de Rome. Elle est le flambeau de l'Ouest que vous rapporterez tous dans vos petits pays.» Nos diplômes indiquaient que nous pouvions enseigner le français dans des pays étrangers, mais que nous ne pourrions pas l'enseigner en France.

Place aux femmes !

Le gouverneur général ou la gouverneure générale du Canada représente Sa Majesté la reine Élisabeth II au Canada. Ce poste prestigieux est tenu alternativement par des Canadiens anglais et des Canadiens français et est généralement confié pour une durée de cinq ans.

La première femme gouverneure générale du Canada a été **Jeanne Sauvé**. Elle a occupé ce poste de 1984 à 1990.

Du 27 septembre 2005 au 1er octobre 2010, le poste de gouverneure générale était occupé par **Michaëlle Jean**. D'origine haïtienne, Michaëlle Jean a été la troisième femme à accéder à cette fonction, succédant à **Adrienne Clarkson**.

Il revient à la personne qui détient le poste de gouverneur général de représenter le Canada à l'étranger, de recevoir des chefs d'État étrangers au Canada et de remettre des distinctions honorifiques et des récompenses pour souligner l'excellence, la bravoure et les réalisations exceptionnelles des Canadiens et Canadiennes. Plusieurs trophées ou prix portent d'ailleurs le nom d'un gouverneur général.

De plus, cette personne a le pouvoir de nommer les ministres fédéraux,

De retour au Canada

À mon retour, j'ai constaté qu'au Canada comme en France, la langue française ne représente pas la même chose pour les francophones que la langue anglaise pour les anglophones. Le français est une expression de la culture. Ce n'est pas seulement un outil de communication qui permet de faire des transactions. Les gens qui sont francophones croient que la langue française est leur héritage commun.

À l'heure actuelle, je suis fondamentalement une anglophone. L'anglais est ma langue maternelle puisque je suis arrivée au Canada à l'âge de deux ans et demi. Cela n'a pas été difficile pour mon père, car il ne parlait pas beaucoup le chinois. Par contre, cela l'a été pour ma mère, dont le chinois était la langue maternelle. Mes parents ont pris la décision de faire de l'anglais la langue de leur nouveau domicile canadien, et qu'on la parlerait bien. Je crois que beaucoup d'autres immigrants venus après la guerre ont également pris une décision semblable. Dans notre cas, l'anglais était notre façon de nous intégrer à la vie canadienne.

Jeanne Sauvé, la première femme gouverneure générale du Canada.

les sénateurs, les juges et d'autres fonctionnaires, de même que les lieutenants-gouverneurs dans les provinces.

Ces fonctions et tâches permettent de solidifier les relations internationales existantes et de renforcer les liens entre les Canadiens et Canadiennes.

Parmi ses priorités, Michaëlle Jean a contribué à l'égalité entre hommes et femmes et à rendre l'institution qu'elle représentait plus accessible et significative pour les jeunes. Les mots *pouvoir*, *collaboration*, *solidarité*, *dialogue*, *action citoyenne*, *liens*, *jeunesse*, *humanité*, *égalité* et *droit fondamental* ont fait partie intégrante de son discours et de ses actions.

Depuis le 1er octobre 2010, c'est le très honorable David L. Johnston qui occupe le poste de gouverneur général du Canada.

La très honorable Michaëlle Jean.

Deux langues officielles

À titre de gouverneure générale, j'ai visité des écoles d'immersion française dans tout le pays. Lorsque je regardais les classes allant de la maternelle à la sixième année, j'étais impressionnée par la diversité culturelle des enfants. Tous vont probablement parler le français et l'anglais. Par contre, il faudra encore un certain temps avant que nous, Canadiens et Canadiennes, absorbions totalement ces deux langues.

Le français et l'anglais, dans notre pays, sont nos langues officielles. Avec le temps, nous avons appris à accepter les gens des autres pays. Les néo-Canadiens doivent se rendre compte qu'obtenir sa citoyenneté, c'est être adopté dans un pays et devenir membre d'une grande famille.

Adrienne Clarkson a donné son nom à une école publique d'immersion en français. Elle est située à Richmond Hill, en Ontario. Elle accueille 450 jeunes, de la maternelle à la huitième année.

L'apprentissage du français nous transporte dans une réalité nouvelle et différente. D'ailleurs, bon nombre de nouveaux citoyens estiment que l'apprentissage des langues est un atout qui leur donne un meilleur accès au monde. L'utilisation du français et de l'anglais est accessible à tous les Canadiens et Canadiennes. Il serait souhaitable que les néo-Canadiens puissent en profiter sans aucune restriction.

Des hommes politiques clairvoyants

Le bilinguisme fait du Canada une nation différente. Le français et l'anglais n'ont pas été choisis par hasard. Ils prennent racine dans la fondation même du pays, dans ce que j'appelle le *marché original* conclu en 1848, puis en 1867. Dans ce marché, Louis-Hippolyte La Fontaine et Robert Baldwin ont établi une démocratie dans un pays très pauvre. Ce pays ne comptait aucun riche. En 1849, La Fontaine a fait la promesse suivante : « Vous savez, la situation est très bonne en ce moment, mais elle sera encore meilleure à l'avenir parce que nous inviterons les nations du monde à prendre leur place dans notre pays, et ses habitants et leurs descendants seront nos semblables. Ils seront l'avenir. »

La Fontaine savait que nous serions une nation de nouveaux arrivants. Sir Wilfrid Laurier s'est exprimé dans un même esprit en 1905 : « Nous accueillerons toutes les nations du monde. »

Adrienne Clarkson a prononcé plusieurs discours au sujet du bilinguisme et de la diversité culturelle canadienne.

Notre pays est une mosaïque culturelle.

Des caractéristiques qui font la différence

Ces hommes politiques clairvoyants ont préparé la voie et donné le ton. Mais ça ne suffit pas. Il importe d'établir la liaison avec le 1 % de la population qui arrive ici chaque année en tant que néo-Canadiens. Nous devons définir les choses qui les aideront à devenir des Canadiens et Canadiennes à part entière. Par exemple, nous lisons des livres canadiens et allons à des concerts canadiens. Il y a des orchestres dans tout le pays et des groupes musicaux de différents genres. Des pièces de théâtre canadiennes nous sont proposées, tout comme des films canadiens, des musées et des galeries d'art. Toutes ces caractéristiques nous aident à nous définir. Les néo-Canadiens doivent avoir accès à ces expériences.

Comme Baldwin et La Fontaine, je crois que le Canada sera encore meilleur à l'avenir. Mon Canada est un pays qui accepte le changement et s'y ouvre tout en préservant son identité et ses valeurs fondamentales.

Réagis au texte.

1. Dans un organisateur graphique, résume ce que tu as appris dans chaque section du texte.
2. Observe les photos qui accompagnent ce texte. Quels renseignements supplémentaires t'ont-elles apportés ? Discutes-en avec un ou une camarade.

Enrichis ton vocabulaire.

3. Dresse une liste des mots nouveaux que tu as appris dans ce texte. Échange ta liste avec celle d'un ou d'une camarade. Dans chaque cas, note et explique ce qui t'a été utile pour comprendre le sens de ce mot nouveau.

COFFRE À OUTILS ÉCRITURE

- Observe le texte. Comment l'auteure réussit-elle à capter l'attention des lecteurs et lectrices ? Quels éléments du texte te permettent de dire qu'elle tient compte des lecteurs et lectrices dans son texte ?
- Travaille avec un ou une camarade. Imaginez que vous devez préparer un reportage sur la mosaïque canadienne. Dressez le plan de votre texte, puis présentez-le à une autre équipe. En quoi vos plans sont-ils semblables ? En quoi sont-ils différents ?

Écrire un reportage

Charles a fait une recherche au sujet du Quai 21 à Halifax, en Nouvelle-Écosse, qui a constitué un point d'entrée au Canada pour plus d'un million d'immigrants. Observe son travail.

Sujet	*Le Quai 21*
Intention	*Informer*
Public cible	*Mes camarades de classe*
Forme du texte	*Reportage*

La structure du texte

J'ai respecté les caractéristiques d'un reportage.

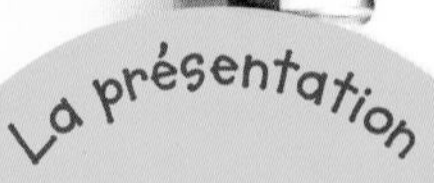

La présentation

J'ai ajouté une photo pour rendre mon texte plus intéressant.

Les conventions linguistiques

J'ai révisé et corrigé mon texte (orthographe, ponctuation, grammaire).

Le Quai 21

par Charles St-Amand

D'après l'Organisation des Nations unies, le Canada occupe la première place, parmi tous les pays du monde, en ce qui concerne la qualité de vie. Cette reconnaissance et le fait que notre pays représente une société multiculturelle, où l'on parle deux langues officielles, ont fait du Canada une destination de choix pour de nombreux immigrants. De 1928 à 1971, le Quai 21 à Halifax en Nouvelle-Écosse a été la porte d'entrée pour plus d'un million d'immigrants au Canada.

Aujourd'hui, un Canadien ou une Canadienne sur cinq peut établir un lien familial avec les immigrants du Quai 21. En fait, ce point d'entrée a accueilli des nouveaux venus de pays tels que l'Angleterre, la Hongrie, l'Italie et l'Allemagne. Ces immigrants ont beaucoup contribué à bâtir notre grand pays. Les idées innovatrices et le dynamisme de ces néo-Canadiens et néo-Canadiennes ont rendu le Canada concurrentiel dans l'économie mondiale.

Le Canada a l'un des taux d'immigration permanente les plus élevés au monde. Notre pays a accueilli 3,5 millions d'immigrants au cours des 15 dernières années. Selon Statistique Canada, en 2006 environ 20 % de la population canadienne était née à l'étranger.

De nouveaux arrivants au Canada dans la salle d'examen de l'immigration en mars 1952.

En 2009, le gouvernement canadien a conclu une entente de principe en vue de créer un musée national au Quai 21 à Halifax. Ce musée deviendra le sixième musée national au pays et le deuxième à l'extérieur de la région de la capitale nationale.

Écris un reportage.

POUR T'AIDER...

- Utilise un organisateur graphique pour planifier ton texte.
- Fais un paragraphe pour chaque idée principale.
- Consulte plusieurs sources fiables.
- Fais relire ton texte pour obtenir des commentaires.
- Vérifie les éléments d'écriture et apporte les améliorations nécessaires à ton texte.

À ton tour d'écrire un reportage sur la diversité culturelle au Canada.

Pour t'aider, pose-toi les questions suivantes :

- Quel groupe d'immigrants vais-je présenter ?
- Quelle sera mon intention ?
- Qui lira mon texte ?
- Comment vais-je présenter mon reportage (ex. : balado, reportage télévisé, reportage radiophonique) ?
- Quels faits vais-je présenter ?
- Quelles sources d'information vais-je utiliser ?
- Quels mots pourraient m'aider à effectuer ma recherche dans Internet ?
- Quels éléments visuels vais-je ajouter pour rendre mon reportage intéressant ?

Note dans un tableau la réponse aux questions suivantes. Cela te sera utile au moment de rédiger ton reportage.

Qui ?	*Les immigrants canadiens*
Quoi ?	*Le Quai 21*
Quand ?	*De 1928 à 1971*
Où ?	*À Halifax en Nouvelle-Écosse*
Pourquoi ?	*À cette époque, les immigrants arrivaient par bateau. Le Quai 21 a été la porte d'entrée pour plus d'un million d'immigrants au Canada.*

RÉFLÉCHIS...

- Quels critères pourrais-tu utiliser pour évaluer ton reportage ? Notes-en trois et évalue ton texte à l'aide de ces critères.
- Quel aspect a été le plus réussi ?
- Quel aspect devras-tu améliorer ?

L'HYMNE À L'ESPOIR

Prépare-toi !

- Fais des liens. Qu'aimerais-tu changer dans ta communauté ou dans le monde ? Comment pourrais-tu y arriver ? Pourquoi est-ce important d'être libre ?
- Utilise tes connaissances. Dans quelles situations les gens espèrent-ils trouver la liberté ? Quelles libertés connaissons-nous en tant que Canadiens et Canadiennes ?

Un jour, un jour peut-être,
Nous deviendrons de vrais amis.
Je vois déjà que tout s'éclaire
Du côté de la nuit.
Un jour, un jour peut-être,
Tout l'univers sera pays.
Je vois déjà venir la fête,
Du côté de la vie.

L'espoir à nos fenêtres,
L'espoir qu'un jour peut-être,
Le soleil pourra se lever,
Du côté de la Liberté.

Un jour, un jour peut-être,
Bien au-delà de notre peine,
Nous laisserons partir la haine
Du côté de la pluie.

Un jour, un jour peut-être,
Nous n'aurons plus de nostalgie.
Le temps s'arrête dans ma tête,
Du côté de l'oubli.

L'espoir à nos fenêtres,
L'espoir qu'un jour peut-être,
Le soleil pourra se lever,
Du côté de la Liberté.

chanté par Édith Butler

Un jour, un jour peut-être,
Plus de soldat et plus d'orage,
Nous n'irons plus jouer courage
Du côté de la peur.

Un jour, un jour peut-être,
Quand nous aurons brisé nos chaînes,
Je te dirai comment je t'aime
Du côté de mon cœur.

Un jour, un jour peut-être,
Tout l'univers sera pays.
Je vois déjà venir la fête,
Du côté de la vie.

Source: Lise AUBUT, musique de Édith BUTLER et Angèle ARSENAULT, *L'Hymne à l'espoir*, Les Éditions Tric trac, 1978.

Réagis au texte.

1. Selon toi, que veut dire l'auteure par «tout l'univers sera pays»? Discute de ta réponse avec un ou une camarade.
2. Quels sentiments ou quelles émotions éprouves-tu en lisant les paroles de cette chanson? Discute de ta réponse avec un ou une camarade.

Enrichis ton vocabulaire.

3. La répétition a été utilisée dans ce texte. Relève quelques exemples et note l'effet de chaque répétition.

COFFRE À OUTILS COMMUNICATION ORALE

Avec un ou une camarade, présente les paroles de cette chanson ou celles d'une autre chanson de ton choix. Pensez à la manière dont vous pourriez utiliser vos voix lors de la présentation (ex.: présentation à une ou deux voix, ou en chœur; voix fortes ou douces; répétition de mots, de segments de phrase ou de vers). Vous pouvez aussi insérer des effets sonores et de la musique pour créer l'ambiance désirée.

Faire une entrevue

Les déménagements entraînent des bouleversements. Il s'agit d'une expérience très personnelle. L'entrevue est un moyen de découvrir ce que ressentent les gens en pareille situation. Une entrevue permet d'obtenir de l'information, des renseignements ou l'opinion d'une personne sur un sujet.

Faire une entrevue

Une entrevue est une conversation entre deux personnes ou plus. L'intervieweur ou l'intervieweuse pose des questions à une personne et note les réponses. L'information obtenue est de première source, car elle est fournie par la personne qui a vécu l'expérience.

Démarche

- Prends rendez-vous avec la personne que tu veux interviewer et explique-lui ton intention.
- Prépare-toi en faisant une recherche sur ton sujet et en dressant une liste de questions claires et précises.
- Pendant l'entrevue, pose tes questions. Écoute activement ce que la personne répond. Prends des notes pour ne rien oublier.
- Avant la fin de l'entrevue, résume les points principaux avec la personne interviewée.
- Relis tes notes et apporte les changements nécessaires pendant que l'information est encore fraîche dans ta mémoire.

POUR T'AIDER...

- Pose des questions courtes et précises. Demande des précisions au besoin.
- Évite de poser des questions à la forme négative.
- Enregistre l'entrevue, en demandant au préalable la permission à la personne.
- Remercie-la de t'avoir accordé du temps.

PASSE À L'ACTION !

Avec un ou une camarade, prépare un jeu de rôle. Cela consistera à interviewer une personne qui a déménagé récemment ou qui vient d'arriver au Canada. Formulez les questions et les réponses, et déterminez qui posera les questions et qui y répondra.

Assure-toi de ne pas improviser.

Évite de parler sans arrêt.

Ne te laisse pas distraire.

Prépare tes questions à l'avance et fais preuve de courtoisie.

Pose tes questions et sois à l'écoute.

Concentre-toi et prête attention à l'autre personne.

RÉFLÉCHIS...

- En quoi ta recherche au moment de la préparation a-t-elle été utile pour formuler tes questions ?
- Qu'as-tu particulièrement bien réussi au cours de l'entrevue ?
- Que pourrais-tu améliorer la prochaine fois ?

Des indices dans le grenier

par Richard Naidoo

Prépare-toi !

- Fais des liens. Est-ce que les bandes dessinées se lisent comme les autres récits ? Justifie ta réponse.
- Fais des prédictions. Quelle information peux-tu tirer des illustrations ?

JE ME SOUVIENS QUE MA GRAND-MÈRE M'A RACONTÉ QU'ADAM FERRIS EST ARRIVÉ AU CANADA EN 1896 AVEC SON PÈRE. ILS ÉTAIENT PARTIS DE LIVERPOOL, EN ANGLETERRE, SUR UN NAVIRE APPELÉ THE LABRADOR.

ÉCOUTEZ ÇA.

Avril 1896
Nous entreprenons la traversée de l'Atlantique. Nous devrions arriver au Canada dans 10 jours. Maman était sur le quai ce matin pour saluer notre départ. Nous devrons attendre un an avant de nous revoir au Canada.

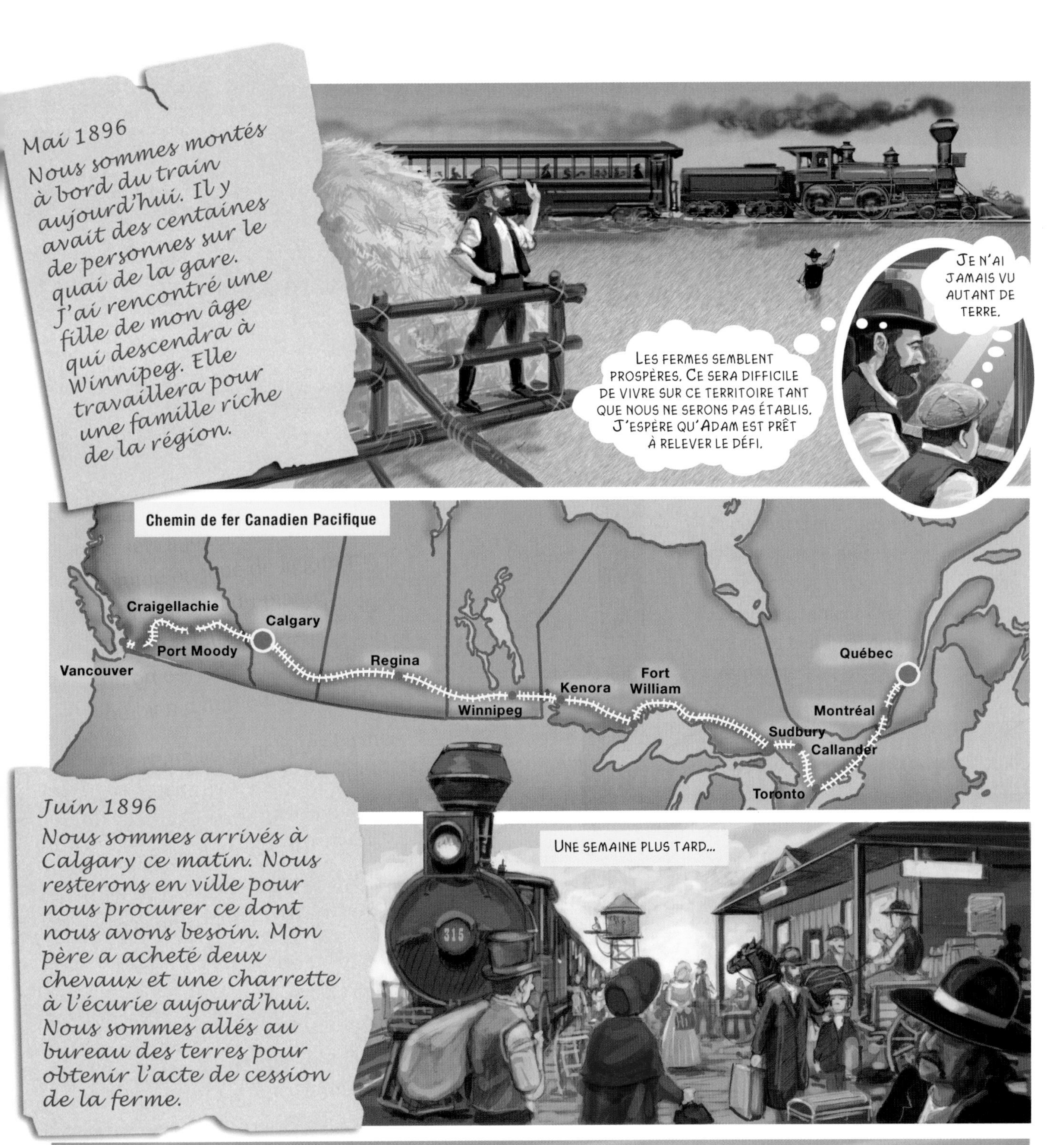
Mai 1896
Nous sommes montés à bord du train aujourd'hui. Il y avait des centaines de personnes sur le quai de la gare. J'ai rencontré une fille de mon âge qui descendra à Winnipeg. Elle travaillera pour une famille riche de la région.
Les fermes semblent prospères. Ce sera difficile de vivre sur ce territoire tant que nous ne serons pas établis. J'espère qu'Adam est prêt à relever le défi.
Je n'ai jamais vu autant de terre.
Chemin de fer Canadien Pacifique
Craigellachie
Calgary
Port Moody
Vancouver
Regina
Winnipeg
Kenora
Fort William
Québec
Montréal
Sudbury
Callander
Toronto
Juin 1896
Nous sommes arrivés à Calgary ce matin. Nous resterons en ville pour nous procurer ce dont nous avons besoin. Mon père a acheté deux chevaux et une charrette à l'écurie aujourd'hui. Nous sommes allés au bureau des terres pour obtenir l'acte de cession de la ferme.
Une semaine plus tard...
315

Dans les années 1890, le gouvernement canadien cherchait des moyens de convaincre les colons de s'établir dans l'Ouest. Quand Clifford Sifton est devenu responsable de l'immigration en 1896, il a fait la promotion de l'Ouest canadien dans toute l'Europe.
Nous sommes arrivés !

Août 1896

Chère maman,

La maison est presque terminée. Quand on regarde par la fenêtre par temps clair, on peut voir à des kilomètres à la ronde.

Adam

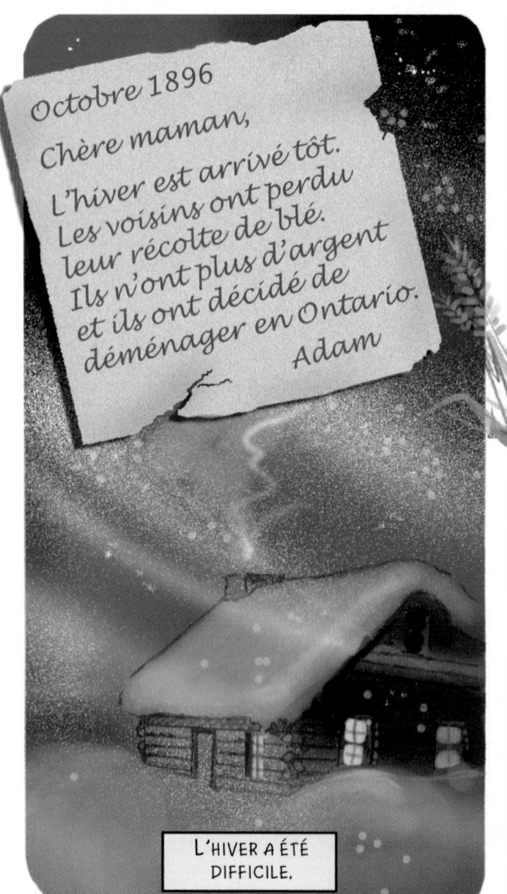

Octobre 1896

Chère maman,

L'hiver est arrivé tôt. Les voisins ont perdu leur récolte de blé. Ils n'ont plus d'argent et ils ont décidé de déménager en Ontario.

Adam

La plupart des colons de l'Ouest cultivaient du blé. La culture du blé n'était pas facile. Les insectes, le mauvais temps et les hivers hâtifs pouvaient détruire les récoltes. Sans récolte, les fermiers n'avaient rien à vendre pour pourvoir aux besoins de leurs familles.

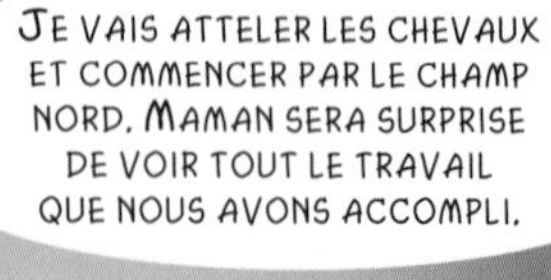

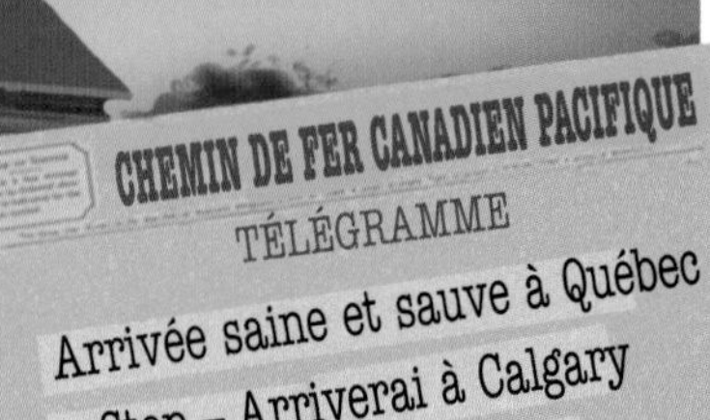

CHEMIN DE FER CANADIEN PACIFIQUE

TÉLÉGRAMME

Arrivée saine et sauve à Québec – Stop – Arriverai à Calgary le 10 avril – Stop

Épilogue

De 1896 à 1911, plus de deux millions d'Européens ont immigré dans l'Ouest canadien. Certains étaient poussés par des facteurs d'incitation, c'est-à-dire des éléments qui les ont incités à s'établir ailleurs. L'agriculture ne leur permettait plus de gagner leur vie dans leur pays. Souvent, il n'y avait pas suffisamment de terre à cultiver. Dans les villes, beaucoup de gens vivaient dans la pauvreté. D'autres immigrants étaient poussés par des facteurs d'attirance, c'est-à-dire des éléments qui les ont attirés vers un autre pays. Par exemple, des espèces de blé de meilleure qualité et de nouvelles techniques agricoles leur semblaient une façon prometteuse de gagner leur vie, ou encore des membres de la famille déjà établis au Canada les incitaient à venir les rejoindre. Toutes les personnes qui immigraient au Canada étaient à la recherche d'une vie meilleure et d'un avenir plus prospère.

Réagis au texte.

1. Avec un ou une camarade, dresse une liste des sources primaires utilisées dans l'histoire. Notez ce que vous avez appris grâce à chacune.
2. En équipe, sélectionnez une case de la bande dessinée pour en faire un jeu de rôle.

Enrichis ton vocabulaire.

3. Dresse une liste des mots liés au thème de l'immigration.

COFFRE À OUTILS MÉDIA

Une bande dessinée peut divertir. Elle peut aussi servir à présenter des faits historiques ou même capter l'intérêt d'une personne sur un sujet qui ne l'intéressait pas auparavant.

- Travaille avec un ou une camarade. Présentez la biographie d'un personnage historique canadien dans une bande dessinée.

Analyser des documents en ligne

Quand tu fais une recherche dans Internet, il est important de te demander d'où provient l'information que tu trouves. Tu dois évaluer d'un œil critique la source et le point de vue présenté par l'auteur ou l'auteure. Observe les documents suivants. À quelle source te fierais-tu davantage pour effectuer une recherche ?

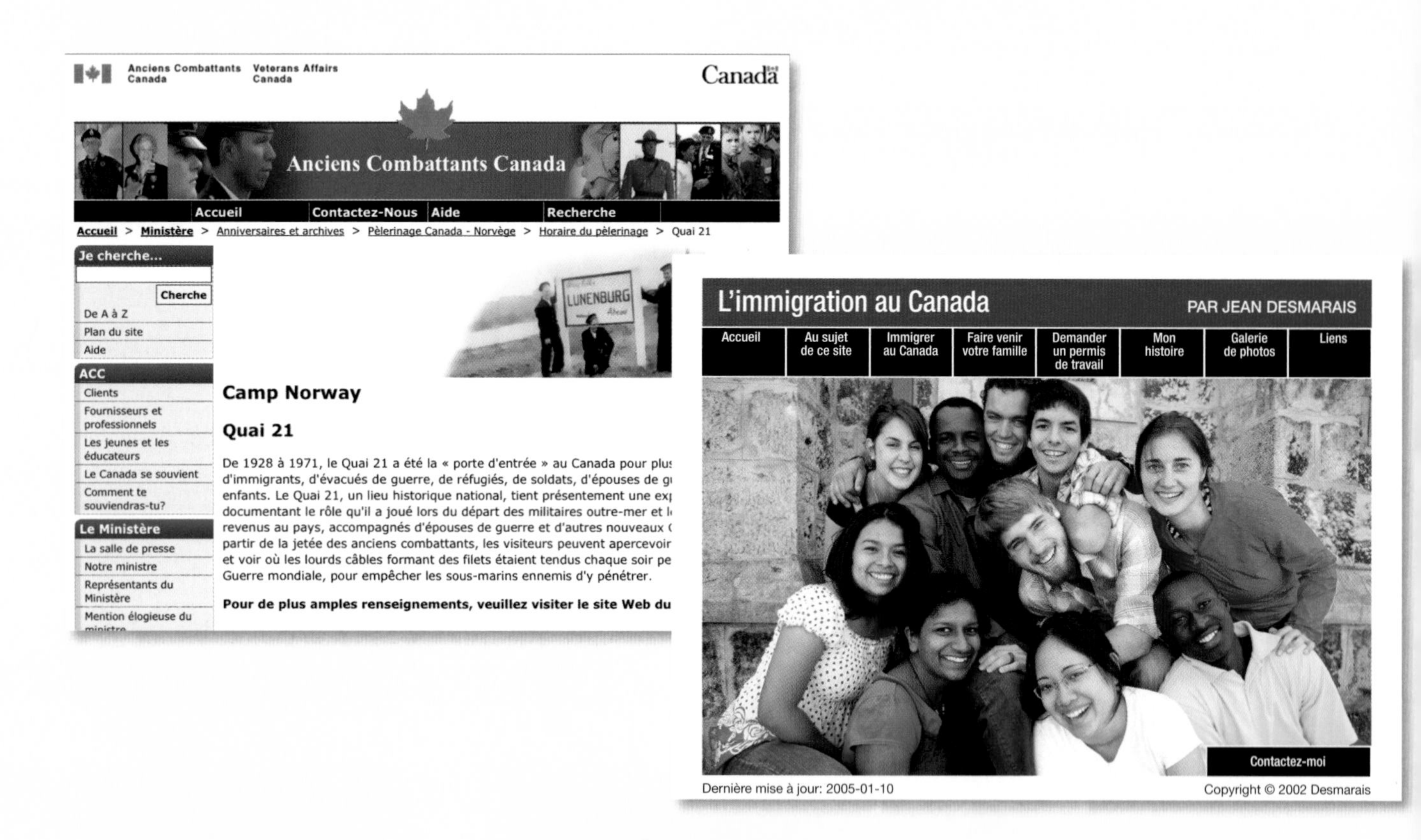

Quel point de vue est présenté dans ce document ?

Quels éléments d'information indiquent que le contenu est fiable ?

Le contenu est-il à jour ?

PASSE À L'ACTION !

Fais preuve d'esprit critique. En équipe de trois, examinez le site Web qui vous sera attribué.

À quel point ce site est-il fiable ?

Analyser un site Web

Site : *L'immigration au Canada* (par Jean Desmarais)

Source	**Commentaires**
• L'identité de l'auteur ou de l'auteure est-elle clairement établie ? • L'identité de celui ou celle qui a affiché le site dans Internet est-elle établie ? • Le site contient-il des coordonnées ?	• *On sait que le site a été préparé par Jean Desmarais.* • *On peut présumer que c'est l'auteur qui a aussi affiché le site dans Internet.* • *L'auteur indique une façon de communiquer avec lui par courriel.*
Objectivité • L'intention du site est-elle claire (informer, décrire, expliquer, dénoncer, etc.) ? • L'identité des commanditaires est-elle clairement établie ? • Est-ce que le site contient des préjugés ou des stéréotypes ?	**Commentaires** • *Le site semble fournir de l'information sur l'immigration au Canada et sur l'expérience personnelle de l'auteur.* • *Il ne semble pas y avoir de commanditaires.* • *Il ne semble pas y avoir de préjugés ou de stéréotypes.*
Exactitude et intégralité • La recherche est-elle bien documentée ? L'information peut-elle être vérifiée ? Les sources sont-elles mentionnées ?	**Commentaires** • *Les sources ne sont pas mentionnées et on ne peut pas vérifier l'information sur ce site.*
Actualité • Les dates de création et de mise à jour du site sont-elles fournies ? • La mise à jour de l'information est-elle récente ?	**Commentaires** • *Les dates de création et de mise à jour sont fournies.* • *Le site n'a pas été mis à jour depuis 2005.*

Appréciation globale : Excellent ❑ Bon ❑ Passable ❑ Faible ☒

- Remplissez un tableau comme celui-ci pour analyser votre site Web.
- Mettez vos résultats en commun avec ceux d'autres équipes.

RÉFLÉCHIS...

En quoi faire des analyses comme celle-ci te permettra-t-il de mieux choisir des sites pour trouver de l'information ? Justifie ta réponse.

Je t'écris pour...

Ottawa, le 2 mai

Bonjour, Cédric !

Je découvre les joies de faire partie de ce club de correspondance. Cela m'a permis de me faire des amis ici au Canada, dont toi ! Comment va la vie à Casselman ?

Comme je te l'ai mentionné dans ma première lettre, j'ai dû m'adapter vite à ma nouvelle vie au Canada. Ottawa est une belle ville. Les élèves de mon école m'ont accueillie avec joie. Ils m'ont même fait une fête. Ils avaient entendu parler du tremblement de terre en Haïti et avaient vu des images à la télé.

Dans ta dernière lettre, tu m'as demandé si je me souvenais du tremblement de terre et comment ça s'était passé. Je dois te dire que tout est arrivé très vite. Il me revient souvent des images en tête. Il était environ 17 heures quand j'ai senti le sol trembler, j'étais chez mon amie Sophie. Sa mère nous a demandé de sortir le plus rapidement possible de la maison.

Et là… tout a basculé. La maison de mon amie s'est écrasée en très peu de temps. Tout autour, il y avait du verre cassé, des murs qui tombaient, des gens qui couraient et demandaient de l'aide, des gens blessés au sol. Il y avait beaucoup de poussière. Pendant quelques minutes, on n'y voyait presque rien. Puis, mon père est arrivé en courant. Il était très inquiet. Il n'avait pas réussi à me joindre par téléphone.

En route vers la maison, la scène était désastreuse. J'ai vu des gens en pleurs devant des cadavres, cherchant du secours. La route était bloquée. Mon père m'a expliqué que reconstruire notre pays serait long et très difficile. C'était triste. J'avais le goût de pleurer. Chez moi, il n'y avait plus de maison, mais l'essentiel était sauvé. Ma mère et mon petit frère Dimitri étaient là. Ils nous attendaient. Moi, j'avais la chance d'avoir encore ma famille. Malheureusement, nos voisins de gauche n'avaient pas eu cette chance. Ils n'avaient pas eu le temps de sortir de leur maison.

Prépare-toi !

- Fais des liens. As-tu déjà fait partie d'un club de correspondance ? Quels autres moyens peux-tu utiliser pour communiquer avec tes amis ? À ton avis, lesquels sont les plus efficaces ?
- Fais des prédictions. Quel sera le sujet de cette lettre d'amitié ? Quels indices te permettent de le croire ?

Depuis, nous avons émigré au Canada. Mes parents ont trouvé du travail, mon petit frère fréquente une garderie, et moi, j'apprivoise ma nouvelle école. Port-au-Prince restera toujours dans mon cœur, et la date du 12 janvier 2010 est gravée dans ma mémoire.

Cette journée-là, j'ai compris que la vie pouvait nous être enlevée rapidement. J'apprécie davantage la vie aujourd'hui.

Ma famille et moi t'invitons à passer une fin de semaine avec nous ce mois-ci. Ce sera le Festival canadien des tulipes. Comme tu le sais, ce festival souligne le rôle du Canada dans la libération du peuple hollandais lors de la Seconde Guerre mondiale. Depuis, la Hollande donne des tulipes à la ville d'Ottawa pour avoir offert un refuge aux Hollandais et aux Hollandaises à cette époque. Je t'avoue que je serai fière de faire partie de cette célébration cette année !

Ton amie,
Keïsha

Réagis au texte.

1. À ton avis, pourquoi Keïsha dit-elle qu'elle apprécie davantage la vie aujourd'hui ? As-tu déjà vécu une expérience semblable ?
2. Avec un ou une camarade, effectue une recherche sur les symboles canadiens. Dressez une liste des symboles que vous avez trouvés et dites ce que chacun signifie pour vous (ex. : les coquelicots symbolisent les soldats canadiens qui ont combattu à la guerre depuis 1914 ; le béret bleu symbolise les gardiens de la paix canadiens ; le Nunavut symbolise l'évolution de notre pays).

Enrichis ton vocabulaire.

3. Voici des mots tirés de la lettre de Keïsha.
   - joies (1er paragraphe)
   - ville (2e paragraphe)
   - sol (3e paragraphe)
   - tombaient (4e paragraphe)
   - secours (5e paragraphe)
   - fréquente (6e paragraphe)
   - aujourd'hui (7e paragraphe)
   - célébration (8e paragraphe)

   Remplace-les par des synonymes. Note les nouvelles phrases sur une feuille et compare-les avec celles d'un ou d'une camarade.

COMPARER DES TEXTES

Dégage la structure de la lettre d'amitié. En quoi est-elle semblable à d'autres lettres ? En quoi est-elle différente ? Discutes-en avec un ou une camarade.

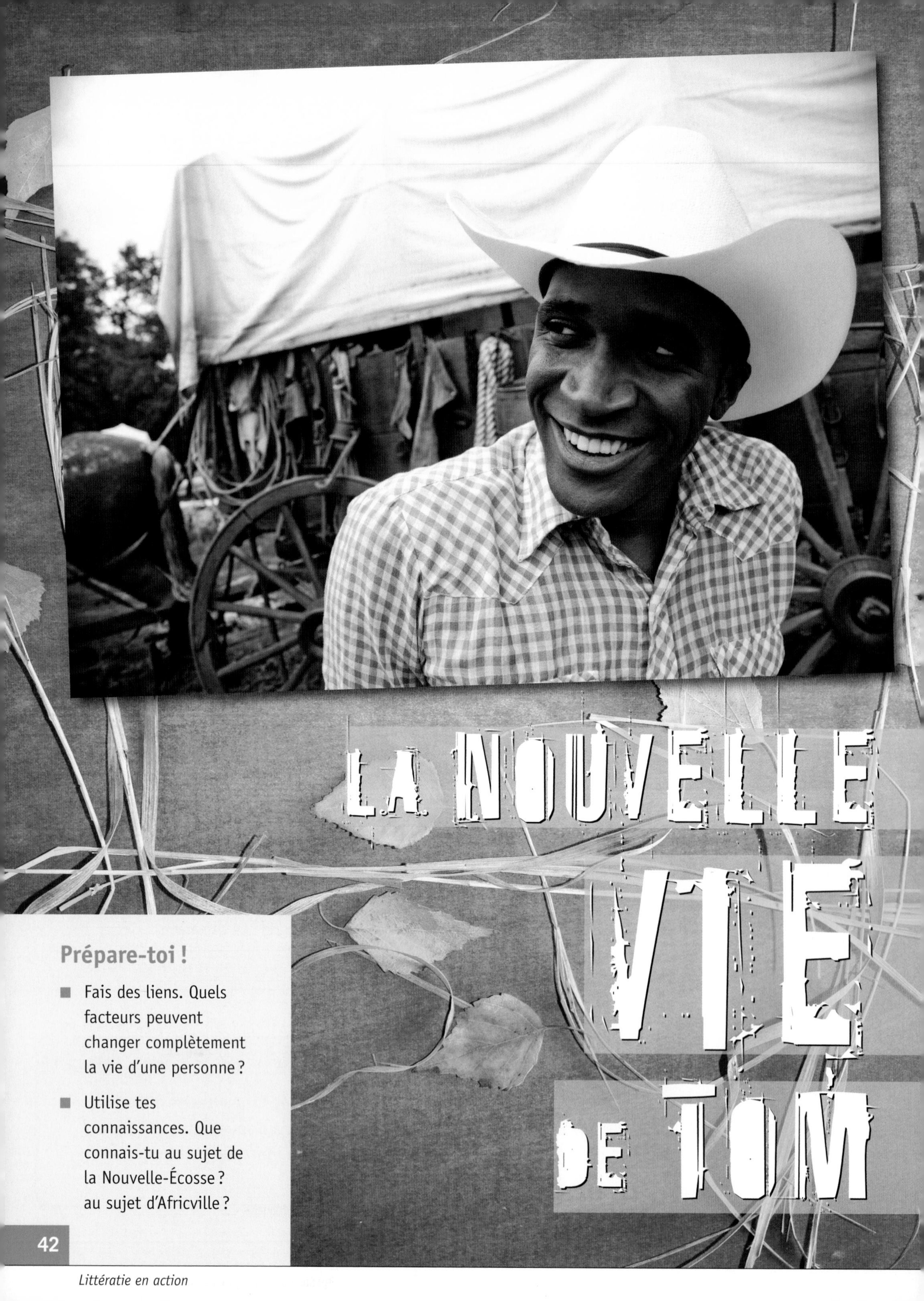

LA NOUVELLE VIE DE TOM

Prépare-toi !

- Fais des liens. Quels facteurs peuvent changer complètement la vie d'une personne ?
- Utilise tes connaissances. Que connais-tu au sujet de la Nouvelle-Écosse ? au sujet d'Africville ?

par Édith Bourget

Assis à l'ombre d'un chêne, Tom se repose. Il a bien travaillé. L'enclos des poules est réparé.

— Tu es doué pour travailler de tes mains, le félicite Georges, son père, un costaud au sourire plein de soleil. Nous formons une bonne équipe, ajoute-t-il fièrement.

Tom regarde les bras ébène de son père. Il voit les muscles développés par les nombreuses heures à cultiver la terre, à transporter l'eau pour arroser les carottes, les navets et les laitues. Cette année, Georges a planté quelques choux pour faire plaisir à Emma, sa femme. Grâce à ce minuscule lopin de terre au Vermont, Georges, Emma, Tom et Jessica, l'adorable petite sœur, mangent des légumes frais en été et en automne. Le reste de l'année, la nourriture est rare. Ils ont souvent faim, malgré les œufs que les poules pondent et les galettes cuisinées par Emma.

Mais en ce 15 septembre 1899, jour des 5 ans de Jessica, Tom trouve que la vie est belle. Il a 13 ans, il est grand et fort. Et aujourd'hui, il a une surprise pour sa sœur : un oiseau sculpté dans un bout de bois. Avec son canif, il adore créer des animaux. Il se demande si lui, Tom, descendant des esclaves qui ont travaillé dans les champs de coton dans le sud des États-Unis, pourra réaliser son rêve de devenir sculpteur. En attendant, il fabrique des jouets pour Jessica.

Du changement en vue

— Qu'il est beau ! répète sans cesse la fillette en tournant l'oiseau dans ses mains.

Tom sourit de voir sa sœur si contente. Mais son bonheur est brouillé par ce que son père annonce en tenant la main de sa femme.

— En novembre, nous partirons au Canada. Il paraît que la vie là-bas pourrait être plus facile pour nous. Je me trouverai un travail. Toi aussi, Tom.

— Partir ? Pourquoi ? J'aime vivre ici ! déclare le garçon avec fougue.

— Pour améliorer notre sort, mon fils. Regarde ta peau. Elle est noire. Tu sais ce que cela signifie ici. Nous sommes mis à part dans ce pays. Je souhaite vivre d'égal à égal avec les Blancs. Je veux aussi que mes enfants mangent toujours à leur faim.

— Et tu crois que ce sera différent là-bas ? questionne Tom, sceptique.

— C'est ce qu'a entendu dire mon cousin Joe, répond Emma. Joe se promène de village en village. Il apprend ainsi beaucoup de choses.

— Et s'il se trompait ?

— On ne le saura pas avant d'être au Canada. Ta mère et moi voulons tenter notre chance, réplique Georges.

— Tom, c'est décidé. Nous partons, conclut Emma de sa voix douce.

Les préparatifs

Pour Tom, le départ arrive trop vite. Les légumes ont été récoltés puis mangés. Depuis quelques jours, la famille prépare le long voyage. Chacun a rassemblé ses vêtements et des objets utiles dans un baluchon. Ustensiles, casseroles, assiettes, savon, clous et corde gonflent les bagages. Emma y ajoute des légumes et des galettes. Georges a tué la dernière poule pour le repas du soir. Avec des carottes, ce sera délicieux.

— Demain, une autre vie commencera pour nous, dit Georges en regardant un à un ceux qu'il aime. Nous partons ailleurs, mais nous resterons ensemble.

— Nous allons à un endroit où tout est possible, continue Emma.

— J'apporte mon oiseau. Il a hâte de voir sa nouvelle maison, déclare Jessica en serrant le jouet sur son cœur.

— Je vais te sculpter un lapin quand nous serons arrivés, promet Tom en tâtant sa poche pour vérifier si son précieux canif y est toujours.

Le soleil se couche. Les étoiles apparaissent. C'est l'heure d'aller se coucher. Nostalgique, Tom sort pour regarder le ciel qui l'a vu naître. Il ne le reverra sans doute jamais. Il entend son père arriver doucement.

— Tout ira bien, lui chuchote-t-il. Viens, allons dormir.

Incapable de fermer les yeux, Tom écoute les bruits de la nuit. Il ne s'endort qu'à l'aurore.

Le voyage vers l'inconnu

Après avoir mangé du pain et bu un thé clair, c'est le départ. Chacun regarde le paysage longuement, espérant le graver dans sa mémoire. La marche jusqu'au village débute. Deux heures plus tard, ils montent dans le chariot de Bill. Le marchand se rend à la ville voisine pour vendre ses sacs de farine. De là, Georges et sa famille prendront le train. L'argent obtenu pour la chaîne en or d'Emma, souvenir de sa grand-mère, devrait suffire pour payer les passages.

Une semaine plus tard, épuisés, ils arrivent à Africville, une communauté regroupant des Noirs de plusieurs origines. Elle est située tout près d'Halifax, en Nouvelle-Écosse. Il fait froid. Le ciel est gris. Les maisons sont délabrées et font face à l'eau. Petit à petit, les habitants sortent pour voir les nouveaux arrivants.

— Bonjour, commence Georges. Nous venons des États-Unis. On nous a dit que nous trouverions ici des gens accueillants.

— On t'a bien renseigné, répond un vieil homme en lui tendant la main. Nous ne sommes pas riches, mais nous partageons volontiers ce que nous avons. Je m'appelle Élie. Bienvenue à Africville !

Un cercle se forme autour des immigrants. Les questions fusent de part et d'autre. Puis Élie, suivi de tous, conduit la famille devant une maison en mauvais état.

— Cette maison est à vous maintenant.

— Merci. Mon fils et moi lui ferons une beauté.

Ce soir-là, une dame offre un chaudron de soupe. Une autre offre un pain. Ces gestes généreux touchent le cœur des

voyageurs. Ils ont tout quitté, mais il semble bien qu'ils trouveront à Africville le véritable sens du mot *entraide*.

— J'ai perdu mon oiseau, s'écrie Jessica en pleurant.

Elle reste inconsolable même si Tom lui a promis de lui en sculpter un autre.

— Non, c'est cet oiseau-là que j'aime, réplique-t-elle. Tu me l'avais donné à mon anniversaire quand nous étions chez nous.

— Maintenant, chez nous, c'est ici, répond Emma.

L'oiseau demeure introuvable. Au fil des semaines, puis des mois, la vie s'organise. Père et fils reclouent les planches de la maison. Ils fabriquent une table et des chaises. Il neige puis la chaleur revient enfin. Mère et fille sèment des carottes et des laitues dans la terre rocailleuse. Les légumes poussent. Ils seront partagés avec des voisins. Georges travaille parfois au port d'Halifax comme débardeur. Tom sculpte des animaux pour les enfants, et aussi pour un magasin de la ville. Jessica a toujours son lapin de bois dans une pochette épinglée à son vêtement. Comme toute la communauté, la courageuse famille est pauvre, mais espère que sa situation s'améliorera avec le temps.

Un saut dans le temps

Nous sommes en 1965. Tom habite toujours à Africville, comme son fils et sa famille. Sa femme Louisa et sa sœur Jessica sont décédées. Bientôt, on rasera tout sous prétexte de faire place à une zone industrielle et de construire un pont reliant les rives d'Halifax et de Dartmouth. Les résidents n'auront que quelques heures pour ramasser leurs effets personnels avant que les camions et pelles mécaniques détruisent leurs demeures. On effacera les preuves des conditions de vie misérables des habitants d'Africville. Ceux-ci seront relogés en ville, séparés les uns des autres.

En regardant le sol, Tom marche à petits pas. Il repense à sa vie. Il a été entouré de braves gens. Il avance lentement en se demandant ce que lui réserve l'avenir. C'est alors qu'il aperçoit, entre deux gros cailloux, un bout de bois sculpté. Il se penche, le saisit, sourit. Il glisse dans sa poche cet oiseau qu'il reconnaît tout de suite, même s'il a été rongé par les intempéries. Il songe alors que ses parents disaient vrai. Tout est possible. Il a confiance. Sa nouvelle vie sera meilleure.

Épilogue

En 2002, le gouvernement fédéral a déclaré Africville site historique national et a affirmé regretter l'injustice commise envers les résidents noirs. En 2010, le gouvernement fédéral a annoncé un projet de construction d'un centre commémoratif d'Africville.

Réagis au texte.

1. Avec l'aide d'un ou d'une camarade, mets en scène une entrevue fictive entre un ou une journaliste et Tom ou un autre résident d'Africville. Ensemble, choisissez les questions à poser et effectuez une recherche pour trouver les réponses. Présentez votre entrevue à la classe.
2. Note les éléments importants du texte sur une ligne du temps. Présente ta production à un ou à une camarade.

Enrichis ton vocabulaire.

3. Relis le texte. Relève tous les endroits où l'auteure a utilisé un verbe précis pour éviter la répétition du verbe *dire* et rendre son texte plus vivant.

COMPARER DES TEXTES

Compare le texte que tu viens de lire avec un autre texte de ce module. En quoi sont-ils semblables ? En quoi sont-ils différents ? Discutes-en avec un ou une camarade.

À L'ŒUVRE !

Créer une capsule témoin

Savais-tu que chaque jour tu laisses derrière toi des traces de ton passé ? Tu laisses des lettres, des courriels, des photos, des papiers et des objets personnels qui témoignent de ta vie. Ces documents constituent des sources qui pourraient, un jour, servir à décrire la vie d'aujourd'hui.

Les **archives** sont une collection d'éléments d'information qui racontent l'histoire d'une personne, d'une communauté ou d'un événement. Une **capsule témoin** est un contenant hermétiquement fermé qui contient des archives et qui sera ouvert dans un certain nombre d'années.

En équipe, créez une capsule témoin de votre classe ou de votre école.

Récits de notre classe

Notre visite au Musée canadien des civilisations

L'anniversaire de notre enseignante

L'uniforme scolaire

Notre visite au Musée canadien des civilisations

Nous sommes enfin en route pour le Musée canadien des civilisations. Ce projet a commencé il y a déjà deux mois. Nous avons travaillé très fort à la planification de ... D'abord, nous...

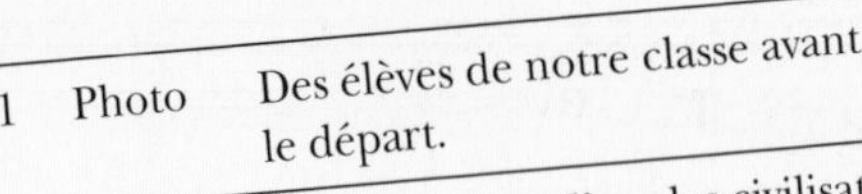

INDEX

1	Photo	Des élèves de notre classe avant le départ.
2	Photo	Le Musée canadien des civilisations.
3	Lettre	Cette lettre a été envoyée à la direction de l'école pour demander la permission d'effectuer notre visite au musée.

Un exemple d'archives préparées pour créer une capsule témoin.

Avant de commencer, réfléchis à ce que tu as lu et à ce dont tu as discuté dans ce module.

Sujet	*Une histoire personnelle*
Intention	*Créer un témoignage personnel*
Public cible	*Les autres élèves de la classe*
Forme du texte	*Collection d'histoires orales, de documents et d'objets personnels*

PLANIFIEZ VOTRE CAPSULE TÉMOIN.

Déterminez le contenu de votre capsule témoin.
Par exemple:

- une histoire orale (ex.: une entrevue avec la direction de l'école);
- un document (ex.: un extrait de journal personnel, une lettre, une photo);
- un objet personnel (ex.: un jouet, un objet souvenir);
- des fiches descriptives pour décrire chaque élément de la collection.

EN PLUS...

- Créez un diaporama ou une page Web pour montrer les sources primaires que vous avez recueillies.
- Enregistrez une entrevue avec un membre du personnel de l'école.

CRÉEZ VOS DOCUMENTS.

- Regroupez vos documents d'archives (documents et fiches descriptives).
- Créez un index ou une table des matières.
- Montrez votre collection de documents à une autre équipe.
- Posez des questions sur vos capsules témoins respectives et demandez une rétroaction.

POINTS À SURVEILLER

- Des sources fiables
- Des photos intéressantes
- Des titres accrocheurs
- Un lettrage qui attire l'attention

RÉFLÉCHIS.

- En quoi une capsule témoin constitue-t-elle une source de renseignements fiable?
- Pourquoi l'information d'une capsule témoin doit-elle être précise et claire?

Ton portfolio

- Choisis deux ou trois productions que tu as faites au cours du module et qui montrent bien ce que tu as appris.
- Présente-les à ton enseignant ou à ton enseignante, à ta famille et à tes camarades.

La nature sous nos pieds

MODULE 2

Que peux-tu faire pour réduire ton empreinte écologique ?

Objectifs d'apprentissage

Dans ce module, tu vas faire les tâches suivantes :

- écouter et lire des textes explicatifs au sujet des conséquences de l'activité humaine sur la nature, et en discuter;
- utiliser des stratégies pour lire des articles de fond, une entrevue, des poèmes, un article d'encyclopédie et un récit;

- rédiger un article de fond sur un défi écologique;
- analyser et comparer des messages dans les médias en vue d'évaluer leur efficacité.

À la fin de ce module, tu utiliseras tes connaissances pour organiser une conférence de presse sur un défi écologique.

Notre planète

Prépare-toi !

- Fais des liens. En quoi le confort moderne est-il lié aux défis écologiques que nous devons relever ?
- Pose des questions. Selon toi, quels messages ces images transmettent-elles ? Quelles questions te poses-tu au sujet de l'avenir de notre planète ? Quel défi écologique t'inquiète le plus ?

«Nous n'héritons pas de la Terre
de nos ancêtres,
nous l'empruntons
à nos enfants.»

Antoine de Saint-Exupéry

Parlons-en!

1. Discute avec un ou une camarade. Laquelle de ces photos illustre le mieux un défi écologique ? Quelle citation est la plus percutante ? Pourquoi ?
2. Forme une équipe avec des camarades. Imaginez que vous êtes embauchés pour concevoir une présentation de nos enjeux écologiques. Comment pourriez-vous présenter vos photos afin de sensibiliser le grand public à ces défis écologiques ?

Quand tu parles...

Attends ton tour pour parler et n'interromps pas les autres.

Varie l'intonation et le ton de ta voix.

Ne parle pas trop vite.

Participe activement à la conversation.

Utilise un vocabulaire précis pour mieux exprimer tes idées.

Quand les autres parlent...

Écoute attentivement.

Démontre de l'intérêt envers les idées des autres.

Respecte les règles de politesse.

Pose des questions, au besoin, pour vérifier si tu as bien compris.

Fais des liens entre les nouvelles idées et ce que tu connais déjà.

Lire des textes explicatifs

Un texte explicatif décrit comment et pourquoi une chose se produit. Il peut aussi présenter le développement d'un processus, par exemple les différentes phases d'un phénomène naturel. Un article de fond est un texte explicatif. Analyse le texte suivant.

LES GRANDS LACS

Le bassin des Grands Lacs constitue le groupe de lacs d'eau douce le plus étendu au monde. Environ 1 Canadien sur 3 et 1 Américain sur 10 vivent dans la région des Grands Lacs. Par conséquent, c'est une région où les problèmes environnementaux sont importants.

Mais les nouvelles environnementales concernant les Grands Lacs ne sont pas toutes mauvaises. Entre 1971 et 1992, le niveau de pollution du lac Érié a chuté considérablement, grâce aux efforts concertés du gouvernement, de l'industrie et des habitants de cette région.

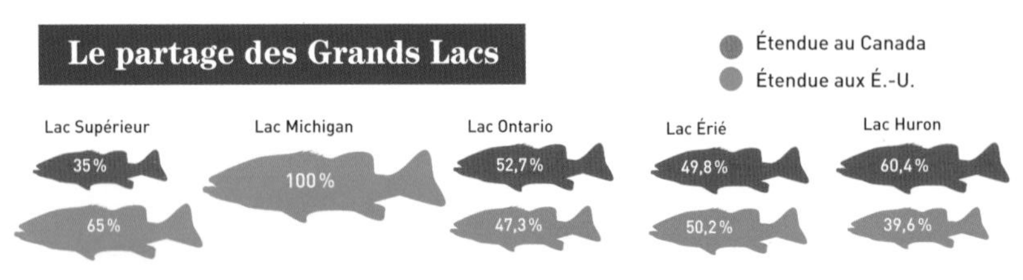

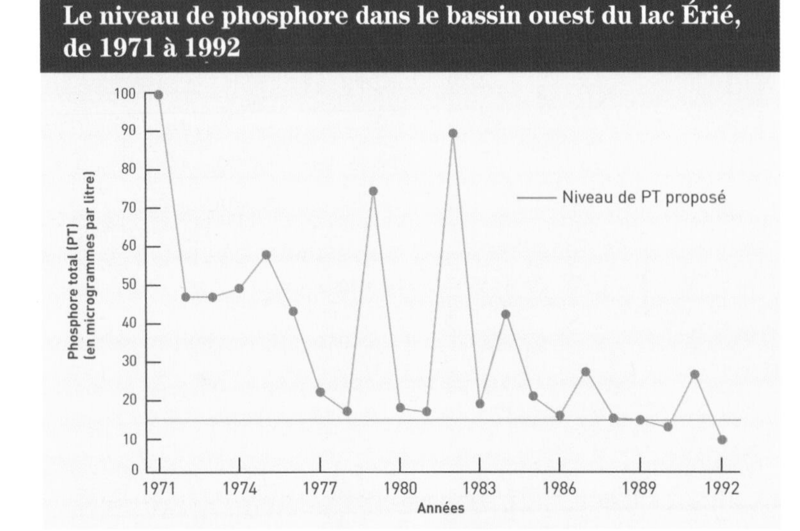

Poser des questions
- Sur quoi porte le texte ?
- À quoi servent les schémas ?
- En quoi le texte et les schémas sont-ils liés ?

Déterminer ce qui est important
- Quelles sont les idées principales ?
- Quelles sont les idées secondaires ?
- Que devrais-tu retenir de ce texte ?

Vérifier sa compréhension
- Qu'as-tu appris ?
- Quelle information te sera utile ?
- En quoi les éléments visuels aident-ils à comprendre le texte ?

Interpréter des données

Les textes explicatifs sont souvent accompagnés de diagrammes, de tableaux, de pictogrammes ou de cartes géographiques qui facilitent la compréhension. Pour en interpréter les données, demande-toi en quoi l'information présentée dans ces représentations graphiques est liée au sujet principal. Voici quelques façons courantes de présenter l'information.

- **Diagramme circulaire :** montre comment les parties forment un ensemble ; permet de comparer la proportion des parties.
- **Diagramme à ligne brisée :** est formé de segments de droite et relie des points qui représentent des données.
- **Tableau :** présente l'information en rangées et en colonnes.

LA CONSOMMATION D'ÉNERGIE DANS LE MONDE (en quadrillions de BTU)

Années	Pétrole	Gaz naturel	Charbon	Nucléaire renouvelables	Énergies
1990	136,4	75,4	89,2	20,4	33,9
2000	155,5	91,0	92,3	25,7	41,6
2007	174,7	112,1	132,5	27,1	48,8
2015 (projection)	179,3	129,1	139,1	32,2	63,8

Source : données tirées du Energy Information Administration, rapport du 25 mai 2010.

- **Diagramme à bandes :** représente les données avec des bandes verticales ou horizontales.
- **Carte :** présente l'information géographique ou politique par région.

- **Pictogramme :** utilise une image ou un symbole pour représenter ce qui est mesuré.

Résumer l'information à l'aide d'un organisateur graphique

Les organisateurs graphiques, en particulier la toile d'araignée, sont utiles pour résumer l'information.

Les Grands Lacs
- Les territoires des Grands Lacs sont partagés entre le Canada et les États-Unis.
- Il s'agit du groupe de lacs d'eau douce le plus étendu au monde.
- La pollution y est un problème.

RÉFLÉCHIS...

Quand tu liras d'autres textes explicatifs, quelles stratégies te seront utiles ?

Sommes-nous responsables

STRATÉGIES DE LECTURE

- Pose des questions.
- Détermine ce qui est important.
- Vérifie ta compréhension.
- Interprète des données.
- Résume l'information.

Tous les pays du monde contribuent au réchauffement de la planète. Par contre, ce sont les pays les plus développés qui provoquent davantage l'aggravation de ce sérieux problème écologique. D'après les scientifiques, ce sont les pays les plus riches qui émettent le plus de gaz à effet de serre par habitant.

Les humains se servent des combustibles fossiles comme le gaz naturel, le pétrole et le charbon pour se chauffer, se déplacer et faire fonctionner les usines. Ces combustibles fossiles produisent des tonnes de dioxyde de carbone (CO_2). Ce gaz très polluant enveloppe la Terre et emprisonne la chaleur comme dans une serre. Cela fait augmenter la température de la Terre. Depuis la révolution industrielle, qui a commencé en Europe vers 1860, les émissions de CO_2 et d'autres gaz nocifs n'ont cessé de croître. En effet, selon les études scientifiques, la Terre s'est réchauffée de 0,76 °C depuis 1900.

Les chlorofluorocarbures (CFC) provoquent aussi le réchauffement de la planète. Les CFC sont des gaz utilisés dans les systèmes de réfrigération et de climatisation, ainsi que dans les aérosols. Ces gaz ont causé un trou dans

LA PRODUCTION DE COMBUSTIBLES FOSSILES AU CANADA, DE 1990 À 2008

Production de combustibles fossiles (en pétajoules)

0, 2 000, 4 000, 6 000, 8 000, 10 000, 12 000, 14 000, 16 000

1990 1991 1992 1993 1994 1995 1996 1997 1998 1999 2000 2001 2002 2003 2004 2005 2006 2007 2008

Années

Source : ENVIRONNEMENT CANADA, *Rapport d'inventaire national, 1990–2008 – Sources et puits de gaz à effet de serre au Canada*, 2010, p. 76.

QU'EST-CE QUE L'EFFET DE SERRE ?

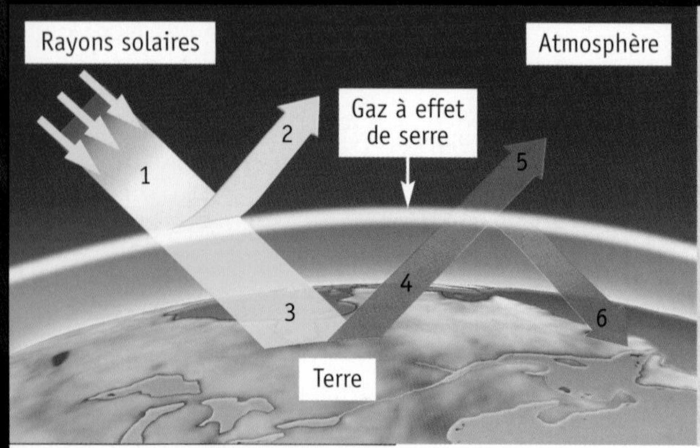

1. Les rayons du Soleil passent à travers l'atmosphère.
2. Une partie des rayons du Soleil sont réfléchis par les gaz à effet de serre.
3. L'énergie solaire est absorbée par la surface de la Terre et la réchauffe.
4. La Terre émet vers l'atmosphère une partie de la chaleur qu'elle a absorbée sous forme de rayons infrarouges.
5. Une partie du rayonnement infrarouge passe à travers l'atmosphère.
6. Les gaz à effet de serre emprisonnent une partie des rayons infrarouges et les renvoient vers la Terre.

Source : Marie-Danielle CYR et Jean-Sébastien VERREAULT, *Observatoire – L'environnement*, Manuel de l'élève, Saint-Laurent, ERPI, 2008, p. 489.

du réchauffement de la planète ?

la couche d'ozone qui recouvre la Terre et qui la protège des rayons ultraviolets du Soleil. En conséquence, la température sur notre planète continue d'augmenter.

Même si le bois n'est pas un combustible fossile, nous l'employons souvent comme source d'énergie. Sa combustion entraîne aussi la production de CO_2. Comme nous replantons moins d'arbres que nous en abattons, le problème s'aggrave. En transformant le CO_2 en oxygène, les arbres de la forêt aident à purifier l'air que nous respirons. Or, quand nous abattons trop d'arbres, nous attaquons les poumons mêmes de notre planète. De plus, avec la disparition des arbres, il n'y a plus de racines pour stabiliser le sol ou retenir l'eau, ce qui occasionne d'autres problèmes écologiques sérieux, comme des inondations.

Un anneau large et foncé représente une année chaude et humide.

Avec la déforestation, nous attaquons les poumons de notre planète.

Comment savons-nous que la surface de la planète se réchauffe ? Les preuves les plus évidentes sont les anneaux des arbres et le niveau d'eau des océans. Les scientifiques peuvent affirmer que la planète se réchauffe en observant les anneaux des arbres. Les anneaux plus larges et plus foncés représentent une année plus chaude et plus humide. Quant aux océans, leurs niveaux montent de plus en plus en raison de la fonte des glaciers. Ceux-ci fondent à cause du réchauffement de la planète.

Que faire pour diminuer le réchauffement de la planète ? Nous pouvons commencer par changer certaines de nos habitudes en consommant et en produisant différemment. Aussi, l'industrie doit mieux gérer la coupe de bois et trouver d'autres sources d'énergie moins polluantes. Il serait préférable de vivre en pensant à l'avenir de notre planète et de ses habitants !

Pourquoi les forêts

STRATÉGIES DE LECTURE

- Pose des questions.
- Détermine ce qui est important.
- Vérifie ta compréhension.
- Interprète des données.
- Résume l'information.

Les forêts sont les poumons de la Terre. D'après les scientifiques, ce sont surtout les jeunes forêts qui transforment le dioxyde de carbone (CO_2) en oxygène (O_2), un gaz essentiel à la vie. Les anciennes forêts absorbent aussi du dioxyde de carbone. Toutefois, elles en produisent autant qu'elles en consomment, contrairement aux jeunes forêts. Ainsi, ce sont les jeunes forêts qui nous permettent de mieux respirer. Elles sont donc indispensables.

La forêt est le lieu de choix pour la reproduction des oiseaux.

Tous les jours, les jeunes forêts absorbent du CO_2 et le transforment en oxygène que nous respirons. Cela signifie que les plantes et les arbres ont besoin de CO_2 pour pousser et que nous avons besoin des forêts pour respirer. Par contre, en trop grande quantité, le CO_2 contribue au réchauffement de la planète et, malheureusement, nous en produisons de plus en plus. Aussi, plus nous abattons de forêts, moins les forêts peuvent absorber de CO_2. En d'autres mots, les jeunes forêts peuvent aider à diminuer le réchauffement de la planète et à purifier l'air.

En plus d'être les poumons de la Terre, les jeunes forêts stabilisent les sols. Sans les arbres, la couche de sol fertile s'assèche, s'érode

LES FORÊTS DANS LE MONDE

N, O, E, S

AMÉRIQUE DU NORD
AMÉRIQUE CENTRALE
AMÉRIQUE DU SUD
EUROPE
ASIE
AFRIQUE
OCÉANIE
ANTARCTIQUE
OCÉAN ARCTIQUE
OCÉAN ATLANTIQUE
OCÉAN PACIFIQUE
OCÉAN INDIEN
OCÉAN ANTARCTIQUE
Cercle polaire arctique
Tropique du Cancer
Équateur
Tropique du Capricorne
Cercle polaire antarctique
Méridien de Greenwich

Échelle

1 : 309 000 000 (projection de Robinson)

0 2500 5000 km

1 cm sur la carte à l'équateur équivaut à 3090 km sur le terrain.

Légende

— Frontière internationale

Superficie des forêts (en millions d'hectares)

- Moins de 1
- De 1 à 10
- De 11 à 20
- De 21 à 50
- De 51 à 100
- 101 et plus
- Données non disponibles

Source : Michel BROUSSEAU, *Atlas du monde actuel*, Saint-Laurent, ERPI, 2007, p. 28.

sont-elles indispensables ?

La moitié de la végétation du monde pousse dans les forêts tropicales.

La reforestation, c'est reconstruire les forêts en plantant des arbres.

et disparaît avec les pluies. Avec le temps, cela mène à la désertification de la Terre. Dans le monde, l'équivalent de la superficie de 33 stades de football de forêts est coupé chaque minute. Cette déforestation risque de transformer la Terre en un grand désert. Dans un désert, presque rien ne pousse.

Les forêts servent d'habitat et de sources de nourriture à des milliers d'espèces d'insectes et d'animaux petits et grands. L'été, les oiseaux font leur nid dans les forêts et se reproduisent, avant de s'envoler vers des pays plus chauds pour l'hiver. Il y a aussi des millions d'espèces de plantes qui poussent dans les forêts. En plus de sa beauté, la forêt a toujours été bonne pour les humains : elle nous fournit du bois, mais aussi de la nourriture, de l'eau potable, de l'air pur et un nombre insoupçonné de plantes médicinales dont nous découvrons, chaque jour, un peu plus les propriétés.

LES PLANTATIONS ET LES AIRES PROTÉGÉES DE CERTAINES FORÊTS TROPICALES

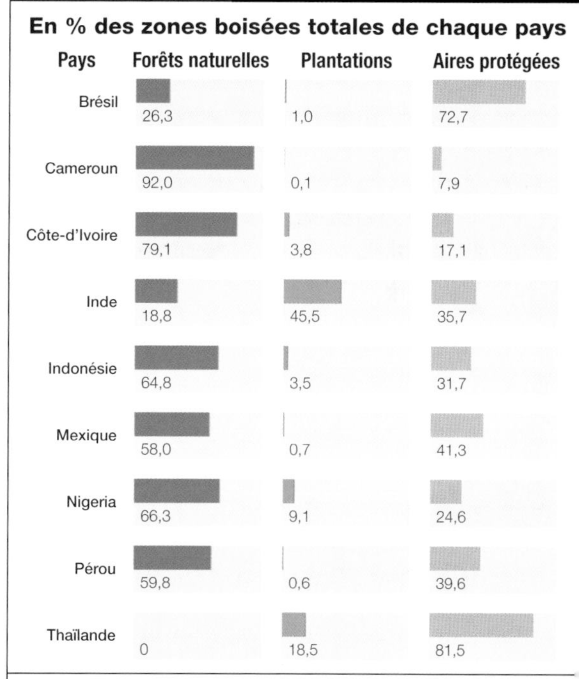

Source : données tirées de Isabelle BIAGIOTTI, *Status of Tropical Forest Management*, Organisation internationale des bois tropicaux, 2005.

Alors, pourquoi ne plantons-nous pas plus d'arbres ? Ce serait un excellent moyen d'adoucir notre climat tout en permettant le recyclage de millions de mètres cubes de CO_2 !

Pourquoi faut-il

STRATÉGIES DE LECTURE

- Pose des questions.
- Détermine ce qui est important.
- Vérifie ta compréhension.
- Interprète des données.
- Résume l'information.

L'eau, c'est la vie. Celle qui tombe aujourd'hui est la même que celle que buvaient les dinosaures il y a des millions d'années. On trouve l'eau dans l'air, dans le sol et sur le sol. Environ 3 % de l'eau sur Terre est de l'eau douce et seulement 1 % de l'eau dans le monde est potable. Près de 70 % de l'eau douce de la planète est emprisonnée dans la glace. La vie sur notre planète bleue dépend de l'eau. Alors, nous devons tout faire pour la préserver.

L'UTILISATION DE L'EAU PAR SECTEUR AU CANADA*

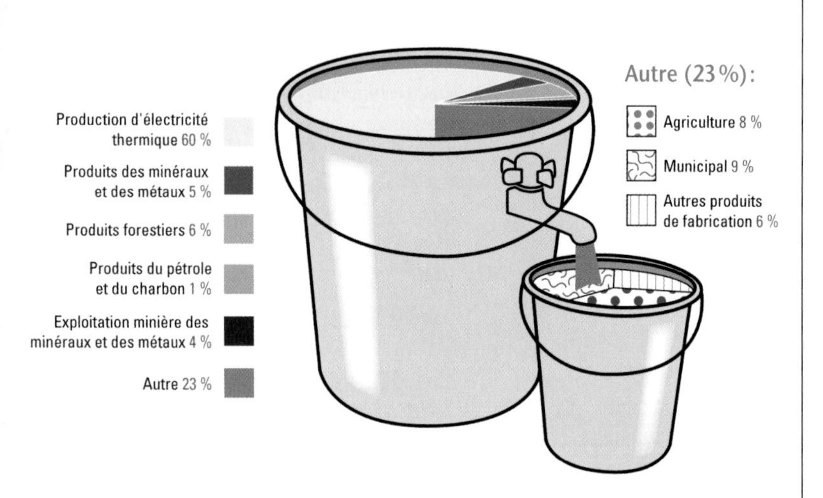

*En raison de l'arrondissement, les sommes ne sont pas toujours égales à 100.

Source: ENVIRONNEMENT CANADA et STATISTIQUE CANADA, *Enquêtes sur l'utilisation de l'eau*. Reproduit avec la permission du ministère des Travaux publics et de Ressources naturelles Canada, 2010.

L'eau fait partie de notre quotidien. Nous l'utilisons entre autres pour boire, faire pousser des récoltes et nous laver. L'industrie consomme elle aussi de grandes quantités d'eau. Nous en utilisons davantage chaque jour. Au cours du XXe siècle, la population mondiale a triplé et la consommation d'eau s'est multipliée par six. De plus, nous exigeons des espaces plus propres et nous mangeons des aliments plus variés. Tout cela exige plus d'eau. Nous consommons déjà la moitié de l'eau provenant des rivières, des fleuves et des lacs. Dans les pays

LA CONSOMMATION D'EAU PAR SECTEUR POUR CERTAINS PAYS

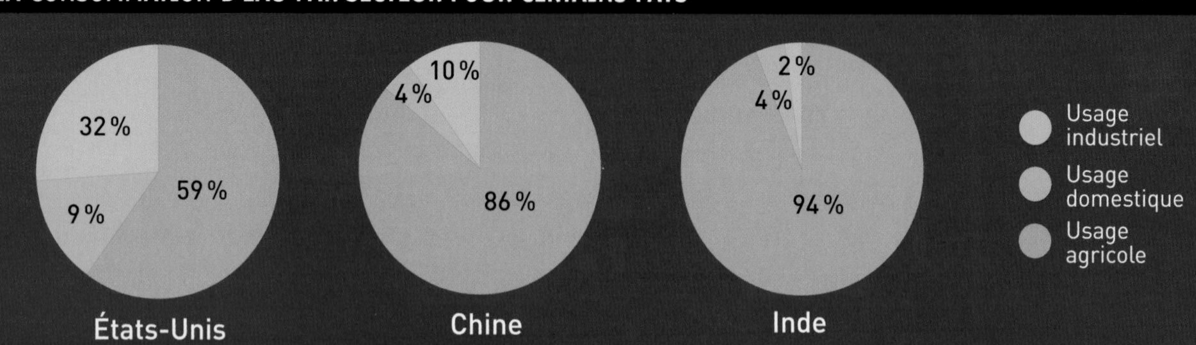

Source: A. Y. HOEKSTRA et A. K. CHAPAGAIN.

préserver l'eau ?

riches, les gens n'ont qu'à ouvrir le robinet pour avoir de l'eau potable. Dans les pays en développement, l'eau potable est plus rare. Par exemple, en Afrique les gens passent le quart de leur journée à s'approvisionner en eau potable.

L'agriculture est le secteur d'activité qui consomme le plus d'eau dans le monde. En fait, l'agriculture utilise près de 70 % de l'eau prélevée sur la planète. L'eau sert pour l'irrigation et l'élevage. Certaines cultures requièrent plus d'eau que d'autres, comme la culture du riz, du coton et du café. Par exemple, il faut environ 70 litres d'eau pour produire une pomme, environ 2400 litres pour produire un seul hamburger et environ 2700 litres pour produire un t-shirt ! Bref, nous utilisons plus d'eau que nous le croyons.

Les humains se servent de l'eau pour l'agriculture, l'industrie, le transport et la consommation domestique. Cette consommation ne cesse d'augmenter mais l'eau potable n'est pas une ressource infinie. Nous savons que l'eau, comme l'air, est un bien commun qui est indispensable à la vie sur Terre.

Alors, que devons-nous faire ? Nous devons préserver l'eau. C'est-à-dire qu'il ne faut pas jeter des polluants dans les lacs, les rivières et les océans et qu'il faut réduire notre consommation. Il faut également prévoir l'impact de nos gestes sur l'environnement. Nous devons modifier nos habitudes afin de préserver ce trésor qui nous a été donné !

L'EAU NÉCESSAIRE POUR PRODUIRE DIFFÉRENTS ALIMENTS

une pomme de terre (100 g) = 25 L

un verre de lait (200 ml) = 200 L

une pomme (100 g) = 70 L

une tranche de pain (30 g) = 40 L

une tasse de café (125 ml) = 140 L

Les animaux et

STRATÉGIES DE LECTURE

- Pose des questions.
- Détermine ce qui est important.
- Vérifie ta compréhension.
- Interprète des données.
- Résume l'information.

Depuis le début du XXe siècle, plusieurs machines ont été inventées pour faciliter l'accomplissement de certaines tâches domestiques et industrielles. Ces inventions ont également modifié les conditions de vie des animaux et des plantes. Ainsi, les humains ont déséquilibré la nature et ont mis en danger un grand nombre d'espèces vivantes. D'après certains scientifiques, un million d'espèces vivantes pourraient disparaître d'ici une cinquantaine d'années. Cela représenterait la plus grande extinction depuis celle des dinosaures, il y a plus de 65 millions d'années !

LES ANIMAUX EN DANGER

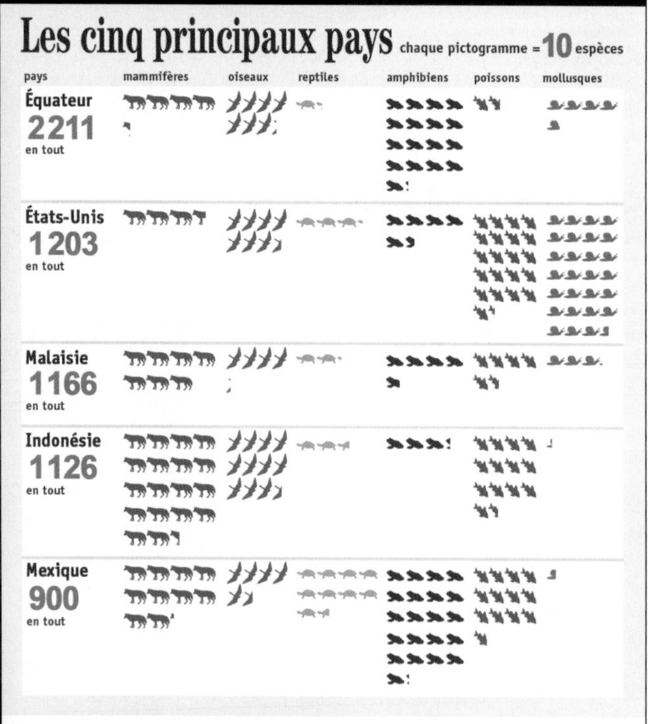

Les cinq principaux pays chaque pictogramme = 10 espèces

pays	mammifères	oiseaux	reptiles	amphibiens	poissons	mollusques
Équateur 2211 en tout						
États-Unis 1203 en tout						
Malaisie 1166 en tout						
Indonésie 1126 en tout						
Mexique 900 en tout						

Source : © 2010 Mother Nature Network.

La Terre est composée de milliers d'écosystèmes, c'est-à-dire des communautés de plantes et d'animaux qui dépendent les unes des autres. En temps normal, 300 à 400 espèces animales et végétales disparaissent chaque siècle. Cependant, au XXe siècle, ce nombre a été 50 fois plus élevé pour les plantes et 600 fois plus élevé pour les animaux. Cette disparition d'animaux a gravement endommagé la biodiversité sur Terre.

Les activités humaines représentent la principale menace à la survie d'un grand nombre de plantes et d'animaux. La pollution, le réchauffement climatique et la destruction d'habitats naturels sont à l'origine de la disparition de nombreuses espèces vivantes. De plus, la population mondiale ne cesse d'augmenter. Les humains défrichent le sol et coupent des forêts entières pour la construction d'habitations et pour l'agriculture. Ainsi, des écosystèmes en place depuis des millions d'années ont été déséquilibrés, ce qui a eu pour conséquence la disparition de milliers de plantes, d'insectes, d'oiseaux et d'autres animaux. Il y a 200 ans, les forêts pluviales recouvraient 14 % du territoire de la planète. Aujourd'hui, elles constituent moins de 4 % de ce territoire. Près des trois quarts des forêts pluviales ont été détruites.

les plantes sont-ils en danger ?

LES PAYS OÙ L'ON TROUVE LE PLUS D'ESPÈCES EN VOIE D'EXTINCTION

Source : © 2010 Mother Nature Network.

Plus de 10 000 espèces de plantes et d'animaux sont en voie d'extinction aujourd'hui. Les parties rouges sur cette carte montrent les endroits où il y a le plus d'espèces en danger.

La population du thon rouge a chuté de 70 % depuis 1980. Les scientifiques estiment que cet animal pourrait disparaître d'ici 10 ans.

Les humains polluent les rivières, les lacs et les mers. Quand nous répandons des pesticides dans nos champs, nous tuons beaucoup plus que les insectes nuisibles. Ces pesticides sont entraînés par les pluies dans les rivières et les lacs, et constituent une menace pour la vie de plusieurs espèces marines. Des poissons meurent empoisonnés. Ils sont ensuite mangés par des oiseaux qui, à leur tour, meurent empoisonnés.

Il ne reste que 3200 tigres dans le monde. La population du tigre a chuté de 97 % au cours du xxe siècle.

Que pouvons-nous faire ? Nous devons diminuer notre consommation d'énergie, favoriser les énergies renouvelables et recycler les déchets. De plus, nous devons préserver la qualité de l'eau et diminuer notre consommation. Nous devons aussi mieux gérer nos forêts. Il est temps de préserver les ressources pour l'avenir !

Pourquoi devons-nous

STRATÉGIES DE LECTURE

- Pose des questions.
- Détermine ce qui est important.
- Vérifie ta compréhension.
- Interprète des données.
- Résume l'information.

L'énergie provient de différentes ressources naturelles. Certaines sont renouvelables sur une courte période de temps. Cependant, les ressources naturelles non renouvelables, comme les métaux ou le pétrole, s'épuisent. En réalité, il leur faut beaucoup plus longtemps qu'une vie humaine pour se renouveler. Ainsi, il nous faut consommer moins d'énergie et surtout utiliser des sources d'énergie moins polluantes.

Le Soleil est une source d'énergie inépuisable.

Le charbon, le pétrole et le gaz naturel sont des combustibles fossiles. Nous en consommons beaucoup et ils sont disponibles en quantité limitée. Ces combustibles fossiles se sont formés par la décomposition de végétaux morts il y a des millions d'années. Ils sont enfouis dans le sol et dans les fonds marins. Ils doivent être extraits, ensuite transformés ou raffinés avant que nous puissions nous en servir pour produire de l'énergie. L'extraction, la transformation et le raffinement de ces combustibles requièrent beaucoup d'énergie. En plus, ces combustibles polluent l'atmosphère et causent des problèmes environnementaux. Ces sources d'énergie sont donc non seulement épuisables, mais assez nuisibles pour l'environnement.

Éventuellement, certaines sources d'énergie, comme le charbon, le pétrole et le gaz naturel, vont disparaître. Nous devons en consommer moins, car nous ne pourrons pas remplacer ces sources qui ont mis

LA CONSOMMATION D'ÉNERGIE DANS LE MONDE (en quadrillions de BTU)

Années	Pétrole	Gaz naturel	Charbon	Énergie nucléaire	Énergies renouvelables
1990	136,4	75,4	89,2	20,4	33,9
2000	155,5	91,0	92,3	25,7	41,6
2007	174,7	112,1	132,5	27,1	48,8
2015 (projection)	179,3	129,1	139,1	32,2	63,8

Source: données tirées du Energy Information Administration, rapport du 25 mai 2010.

consommer moins d'énergie ?

L'énergie éolienne est renouvelable.

LES CONSÉQUENCES DE L'UTILISATION DES DIVERS TYPES D'ÉNERGIE SUR L'ENVIRONNEMENT			
Type d'énergie	**Déchets**	**Conséquence**	**Ampleur de la conséquence**
Charbon	CO_2	Changement climatique	Très forte
Pétrole	CO_2	Changement climatique	Très forte
Gaz naturel	CO_2, fuites de méthane	Changement climatique	Très forte
Nucléaire	Déchets radioactifs	Occupation d'espace (pour le stockage)	Faible
Hydraulique	Emprise au sol, destruction des vallées, déplacement de populations, etc.	Changement d'occupation de l'espace au sol	Faible (dans le cas des micro-centrales) à forte (pour les méga-barrages)
Solaire	Panneaux et chauffe-eau en fin de vie	Occupation d'espace	Faible
Éolienne	Effet visuel pouvant être désagréable Bruit	Désagrément visuel Désagrément auditif	Moyenne Moyenne

Source : données tirées du Energy Information Administration, rapport du 25 mai 2010.

des millions d'années à se former. De plus, l'utilisation de combustibles fossiles produit des pluies acides qui endommagent nos forêts, nos lacs et nos rivières.

L'énergie renouvelable, elle, vient de sources inépuisables comme le vent, le Soleil et la chaleur de la Terre. La transformation de cette forme d'énergie ne pollue pas ou ne rejette quasiment aucun gaz à effet de serre dans l'atmosphère. Le Soleil fournit chaque jour 20 fois la quantité d'énergie dont les humains ont besoin par an !

En utilisant une bicyclette au lieu d'une voiture, on consomme moins d'énergie.

Alors, que faire ? Nous devons trouver des moyens de minimiser l'utilisation des combustibles fossiles et de diminuer notre consommation d'énergie non renouvelable. Employons des sources d'énergie alternatives qui existent déjà comme l'énergie solaire et éolienne. Voici quelques trucs pour diminuer la consommation d'énergie : quand vous vous brossez les dents, ne laissez pas couler l'eau du robinet; éteignez les lumières quand vous quittez une pièce; prenez votre bicyclette au lieu de demander à vos parents de vous conduire à l'école. Chacun de ces gestes contribue à changer la situation. Apprenons à nous servir de l'énergie judicieusement !

À chacun son empreinte écologique !

Prépare-toi !

- Pose des questions. Quelles questions voudrais-tu poser à une ingénieure en écologie au sujet de l'environnement ?
- Utilise tes connaissances. Que sais-tu au sujet de ton empreinte écologique ?

La planète Terre ne peut plus fournir les ressources en quantité suffisante pour répondre aux besoins grandissants des êtres humains. Depuis plusieurs années, on parle de l'impact de l'empreinte écologique des humains sur l'environnement. **Info-Jeunesse** a interviewé Catherine Debellefeuille, une ingénieure en écologie, pour nous éclairer sur le sujet.

Info-Jeunesse : Bonjour, Catherine. On dit que chaque personne, chaque pays a son empreinte écologique. **Qu'est-ce que c'est exactement ?**

Catherine Debellefeuille : Bonjour. Le concept d'empreinte écologique est apparu lors du Sommet de la Terre de Rio, en 1992. L'idée nous vient d'un professeur d'économie, William Rees, de l'Université de la Colombie-Britannique. D'après le professeur Rees, l'empreinte écologique est une mesure de l'impact des activités humaines sur le milieu naturel. Les êtres humains consomment des ressources chaque jour, que ce soit pour se nourrir, se loger, se déplacer ou pour se faire sécher les cheveux le matin… (*Rire.*) Même si la Terre produit des ressources renouvelables, notre consommation dépasse ce que celle-ci peut produire. Donc, cette consommation de ressources naturelles laisse une trace dans l'environnement. L'empreinte écologique est un outil servant à calculer la surface terrestre nécessaire pour produire tout ce que consomme une personne ou une population pour subvenir à ses besoins.

I.-J. : Comment peut-on connaître et évaluer son empreinte écologique ?

C. D. : L'empreinte écologique se calcule en unités de CO_2. Pour faire le calcul de l'empreinte écologique d'une personne ou d'une population, on tient compte de ce qu'elle consomme en ressources naturelles et en énergie, mais on tient également compte des déchets et de la pollution qu'elle produit. Il existe des sites Web qui proposent la marche à suivre pour faire le calcul.

I.-J. : Mais que peut-on faire pour réduire son empreinte écologique ?

C. D. : Il faut consommer plus intelligemment et de façon plus judicieuse. Il y a de nombreuses façons de réduire sa consommation de ressources naturelles. Par exemple, on peut prendre le vélo ou marcher plutôt que de prendre l'autobus ou l'auto. La marche et le vélo ne causent aucune pollution et leur impact sur l'environnement est minime. (*Sourire.*) Aussi, on peut réduire sa consommation d'eau. Il faut se rappeler que, pour produire de l'eau potable, il a fallu la puiser, la filtrer et l'apporter aux maisons et que cela a pris de l'énergie. Je suis certaine que ces exemples vous ont donné d'autres idées, non?

I.-J.: Bien sûr, j'ai déjà pris l'habitude de rester moins longtemps sous la douche et de fermer le robinet quand je me brosse les dents. Ce sont des choses qu'on sait, mais qu'on ne met pas toujours en pratique. **Par ailleurs, n'est-il pas aussi important de réduire la consommation d'électricité?**

C. D.: Oui, absolument! *(D'un ton convaincu.)* La consommation d'énergie peut être réduite facilement. Pourquoi avoir deux téléviseurs allumés au même poste dans une maison? Pourquoi ne pas enfiler un autre chandail ou des chaussettes plutôt que de monter le système de chauffage?

I.-J.: Je suis d'accord. Chez moi, j'ai pris l'habitude d'utiliser la corde à linge. Et je ne laisse plus l'ordinateur en veille, ni le chargeur de téléphone. **Mais Catherine, y a-t-il autre chose à faire?**

C. D.: Chaque geste compte. Par exemple, prendre des sacs réutilisables pour les courses ou réutiliser ceux en plastique. On peut aussi acheter des articles faits de papier recyclé lorsque c'est possible. De plus, il est bon d'acheter des produits fabriqués localement.

I.-J.: Pourquoi acheter localement est-il important?

C. D.: Pour arriver ici, certains produits parcourent des milliers de kilomètres en bateau, en avion ou en camion. Acheter localement, c'est réduire la pollution et la consommation d'énergie.

I.-J.: Si vous aviez un conseil à donner, un seul, lequel serait-il?

C. D.: N'essayez pas de changer toutes vos habitudes d'un seul coup. Choisissez un geste ou deux et lorsque cela fera partie de vos habitudes, vous pourrez en choisir d'autres.

I.-J.: Catherine, je vous remercie de nous avoir accordé cette entrevue.

C. D.: Merci à vous.

Réagis au texte.

1. Dans cette entrevue, on présente diverses façons de réduire son empreinte écologique. Quelles habitudes pourrais-tu changer afin de réduire ton empreinte écologique?
2. Une entrevue comporte souvent des opinions et des réactions personnelles. Trouve un exemple de chaque cas dans ce texte.

Enrichis ton vocabulaire.

3. La lecture permet d'enrichir son vocabulaire. Relève des mots liés au thème de l'environnement dans le texte que tu viens de lire. Avec un ou une camarade, prépare une improvisation à partir de trois mots que vous avez relevés. Présentez votre improvisation à la classe.

COFFRE À OUTILS ÉCRITURE

- Observe le texte. Comment l'information présentée dans ce texte capte-t-elle l'intérêt des lecteurs et lectrices?
- Travaille avec un ou une camarade. Analysez cette entrevue et préparez une liste de questions que vous pourriez poser à une personne qui travaille dans un domaine lié à l'environnement. Comparez votre travail avec celui d'une autre équipe.

L'énergie marémotrice

par Samuel Donaldson

Énergie marémotrice: électricité créée par le flux et le reflux de l'eau.

Prépare-toi !

- Pose des questions. Qu'est-ce qu'une énergie renouvelable ? Pourquoi l'énergie marémotrice est-elle importante ? Quels sont les avantages à utiliser l'énergie marémotrice ?
- Utilise tes connaissances. Quelles sources d'énergie connais-tu ? Que connais-tu de l'énergie solaire, hydraulique, éolienne, nucléaire et géothermique ?

Chaque jour, 14 milliards de tonnes d'eau salée de l'océan Atlantique entrent et ressortent de la baie de Fundy. Cela représente plus que le débit combiné de la totalité des fleuves et des rivières de la Terre ! Et comme la baie est très étroite, la différence de niveau d'eau entre la marée haute et la marée basse est plus grande que partout ailleurs sur la planète. Ce n'est donc pas étonnant que cette baie soit considérée depuis longtemps comme une source potentielle d'**énergie marémotrice**.

En fait, une partie de ce potentiel est déjà exploité pour créer de l'hydroélectricité. La Nova Scotia Power (NSP) exploite depuis 1984 une petite centrale marémotrice à Annapolis qui produit chaque jour 20 mégawatts d'énergie propre pour la région. C'est l'une des trois seules centrales marémotrices au monde.

Marée haute dans la baie de Fundy.

Marée basse dans la baie de Fundy.

NOUVEAU-BRUNSWICK
NOUVELLE-ÉCOSSE
É.-U.
Baie de Fundy
OCÉAN ATLANTIQUE
N
0 km 50

Au plus fort de la marée, le niveau d'eau peut s'élever de 15 mètres. Les experts pensent que cette marée pourrait produire jusqu'à un gigawatt (un milliard de watts) d'électricité.

QU'EST-CE QUI PROVOQUE LES MARÉES ?

Qu'est-ce qui fait monter et descendre le niveau d'eau le long de nos côtes ? La force de gravité exercée par la Lune constitue une partie de la réponse. Cette force est suffisante pour attirer l'eau vers la Lune sur toute la surface de la Terre. C'est ainsi qu'il se crée un renflement (ou marée haute) d'un côté. Et pourquoi y a-t-il un renflement de l'autre côté de la Terre ? La Terre et la Lune tournent autour d'un même centre de gravité. Cette rotation de la Terre force la matière qui se trouve en dessous et au-dessus de la croûte terrestre à se déplacer vers l'extérieur, ce qui crée un renflement. C'est ce qu'on appelle la *force centrifuge*. À mesure que la Terre tourne, la marée monte et descend.

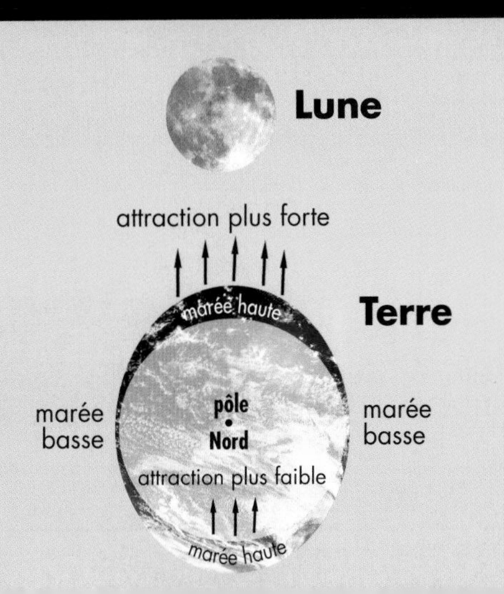

Présentement, le Canada possède deux des trois principales centrales marémotrices au monde. La centrale d'Annapolis (sur la photo) se trouve dans la baie de Fundy, en Nouvelle-Écosse. Une plus petite centrale expérimentale a été construite dans la réserve écologique Race Rocks, en Colombie-Britannique, en 2006.

La plus grande centrale marémotrice au monde se trouve dans l'estuaire de la Rance, près de Saint-Malo en France. Construite en 1966, elle produit près de 240 mégawatts d'électricité par jour.

Une nouvelle «vague» d'intérêt

Turbine : moteur activé par la rotation d'une roue ou d'une hélice.

Génératrice : machine qui convertit l'énergie en électricité.

Limon : boue qui reste au fond d'un lac ou d'un cours d'eau quand l'eau se retire.

LE SYSTÈME DE BARRAGE

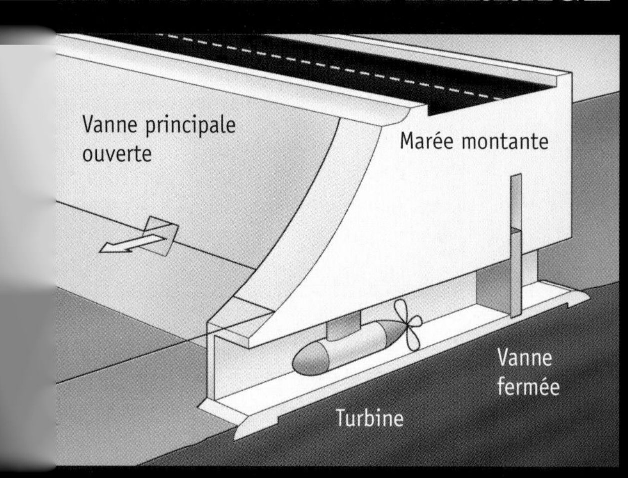

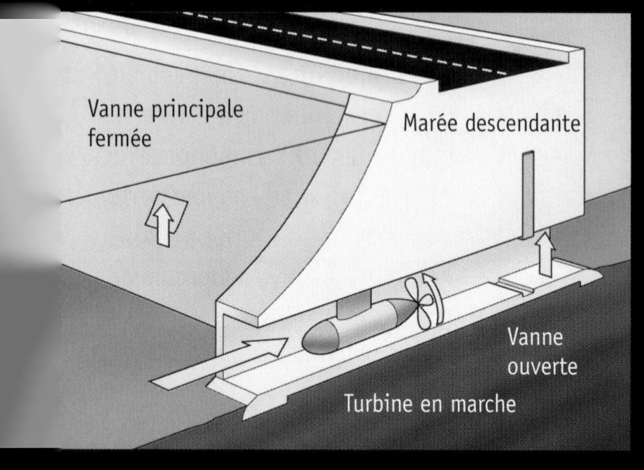

Maintenant que la demande pour une énergie plus propre est en hausse, les gens s'intéressent de nouveau à l'incroyable potentiel des marées de la baie de Fundy. La NSP prévoit installer bientôt une des plus grandes **turbines** sous-marines au monde, dans la partie la plus étroite de la baie. La nouvelle turbine produira un mégawatt d'électricité par jour. Si tout va bien, elle pourrait être la première d'une série de quelque 300 turbines. Ensemble, ces turbines pourraient subvenir aux besoins en électricité de plus de 200 000 foyers.

Les premières centrales, comme celles d'Annapolis et de la Rance, utilisent un système de barrage semblable à celui illustré à gauche. Le barrage retient l'eau avant de la faire passer par une **génératrice**. Ces systèmes peuvent provoquer une accumulation de **limon** et perturber les écosystèmes. Et comme ils bloquent les voies navigables, ils peuvent nuire aux activités récréatives.

La nouvelle technologie est très différente. Elle utilise de plus petites hélices ou turbines au lieu d'un barrage. Les turbines peuvent être fixées au fond de l'eau, pour ne pas nuire à la navigation, et elles sont conçues pour permettre aux poissons de circuler sans se prendre dans les pales.

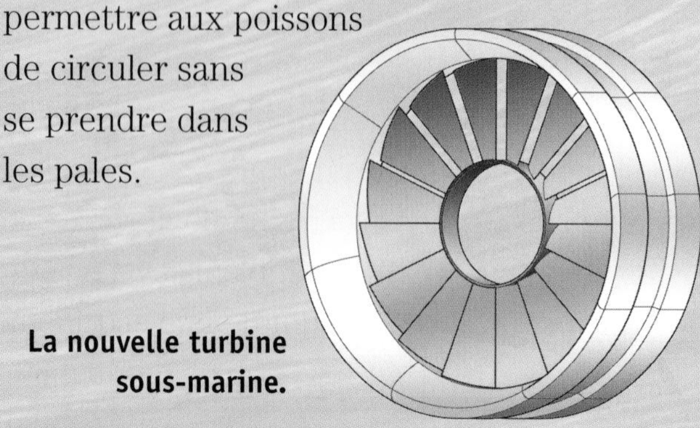

La nouvelle turbine sous-marine.

L'épreuve du temps

Des essais ont démontré que les nouvelles turbines, contrairement au système de barrage utilisé dans les anciennes centrales, ne comportent pas de risques pour la vie sous-marine, les embarcations et l'environnement. On ignore cependant si l'environnement présente des risques pour les turbines. Ces génératrices en forme de beigne pourront-elles résister aux courants et aux glaces flottantes pendant le dégel du printemps ? Seuls le temps et les marées nous le diront...

LES AVANTAGES ET LES INCONVÉNIENTS DES ÉNERGIES PROPRES

Les énergies solaire, éolienne et marémotrice sont renouvelables et polluent moins. Mais chacune comporte aussi des inconvénients et des limites.

Source d'énergie	Avantages	Inconvénients
Solaire	• Propre • Renouvelable • Silencieuse • Simple à utiliser et demandant peu d'entretien • Une fois en place, la source d'énergie la moins coûteuse	• Coûts de démarrage ou d'installation élevés • Ne fonctionne pas la nuit ou quand c'est nuageux • Demande de grandes surfaces pour les panneaux solaires
Éolienne	• Propre • Renouvelable • Ne perturbe pas les écosystèmes • Les terres autour peuvent encore être cultivées	• Dépend de la météo (du vent) • Ne convient pas partout • Coûteuse • Occupe passablement de terrain • Bruyante
Marémotrice	• Propre • Renouvelable • Silencieuse • N'occupe aucun terrain • Uniforme et prévisible	• Les barrages peuvent perturber les milieux aquatiques • Coûts de démarrage élevés • Endroits convenables difficiles à trouver • Produit de l'électricité pour environ 10 heures par jour seulement

Réagis au texte.

1. Résume l'information présentée dans ce texte à l'aide d'un organisateur graphique. Compare l'information que tu as relevée avec celle d'un ou d'une camarade. En quoi est-elle semblable ? En quoi est-elle différente ?

2. Avec un ou une camarade, examine les avantages et les inconvénients des énergies renouvelables, c'est-à-dire solaire, éolienne et marémotrice. À votre avis, laquelle favorise davantage la préservation de nos ressources ? Expliquez votre raisonnement à une autre équipe.

Enrichis ton vocabulaire.

3. Plusieurs expressions idiomatiques décrivent différents aspects de la marée. On trouve des métaphores pour exprimer de façon concise des idées largement répandues. Quels aspects de la marée servent de métaphore dans ces expressions : *contre vents et marées, la marée montante des jeunes, une marée noire* ?

COFFRE À OUTILS ÉCRITURE

- Observe le texte. Comment l'information est-elle organisée ? Quels moyens l'auteur a-t-il employés pour mettre en évidence les idées importantes ?
- Travaille avec un ou une camarade. Dressez une liste de faits importants concernant la Nova Scotia Power. Comment pourriez-vous utiliser des schémas pour organiser et présenter cette information ?

Écrire un texte explicatif

Raoul a écrit un article de fond sur le système d'aqueduc de sa municipalité et y a intégré des schémas. Observe son travail.

Sujet	*L'utilisation de l'eau*
Intention	*Expliquer le fonctionnement d'un système d'aqueduc*
Public cible	*Mes camarades de classe*
Forme du texte	*Article de fond*

La structure du texte

J'ai commencé par une courte introduction qui explique le sujet.

Les conventions linguistiques

J'ai utilisé la ponctuation appropriée.

La présentation

J'ai utilisé des schémas et des images pour faire comprendre mes idées.

L'eau de Toronto

Toute l'eau que la population de Toronto utilise provient du lac Ontario. L'eau est traitée dans quatre usines de filtration avant d'être acheminée vers les maisons, les bureaux et les entreprises. Les eaux usées sont également traitées avant d'être réacheminées dans le lac. Au total, le système d'aqueduc de Toronto comprend 5525 km de conduites principales. Mises bout à bout, ces conduites seraient suffisantes pour traverser le Canada de l'Atlantique au Pacifique, et il en resterait!

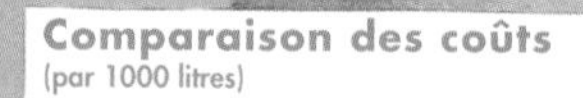

Comparaison des coûts
(par 1000 litres)

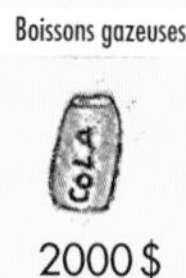

Boissons gazeuses	Lait
2000 $	1750 $
Eau embouteillée	**Eau du robinet**
1000 $	1,74 $

Un litre d'eau du robinet traitée coûte environ 600 FOIS MOINS CHER qu'un litre d'eau embouteillée achetée au magasin qui, elle, n'a peut-être subi aucun traitement.

Comment notre eau est-elle traitée?

DÉGRILLAGE
L'eau du lac passe à travers des grilles qui retiennent les gros déchets.

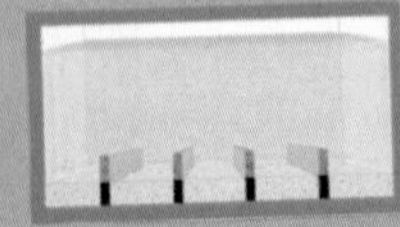

SÉDIMENTATION
On ajoute du chlore puis on laisse reposer l'eau pour que les matières en suspension se déposent au fond.

FILTRATION
L'eau passe dans du carbone, du sable et du gravier. Ce processus élimine les fines particules indésirables et les produits chimiques.

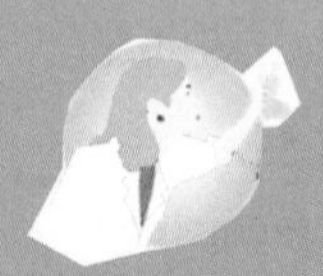

CONTRÔLE
Des échantillons d'eau traitée sont pris et vérifiés régulièrement pour s'assurer que l'eau est propre à la consommation.

Source: La Ville de Toronto.

Écris un article de fond.

POUR T'AIDER...

- Pense à des sujets pour ton article de fond.
- Cherche des statistiques, des données en lien avec ton sujet.
- Rédige une introduction qui résume ton idée principale.
- Recueille des commentaires, puis révise ton travail.

À ton tour de rédiger un article de fond sur un sujet en lien avec l'eau et l'environnement.

Pour t'aider, pose-toi les questions suivantes:

- Quel fait vais-je présenter et expliquer (sujet principal)?
- Qui lira mon article? Dans quel but?
- À quelles questions vais-je tenter de répondre avec mon texte?
- Quelle information devrais-je trouver?
- Quels éléments visuels pourraient accompagner mon texte?
- Quels commentaires, légendes et vignettes vais-je ajouter pour accompagner les schémas?

Note tes idées dans un tableau. Cela te sera utile au moment de rédiger ton article de fond.

TITRE DE L'ARTICLE: *L'EAU DE TORONTO*

Les questions auxquelles je veux répondre	Les éléments visuels qui accompagneront mon texte	Les commentaires, légendes ou vignettes
D'où vient l'eau de Toronto? Comment l'eau de Toronto est-elle traitée?	*Photos, fiche descriptive et schémas*	*Description du traitement de l'eau sous le schéma*

RÉFLÉCHIS...

- Quels critères pourrais-tu utiliser pour évaluer ton article de fond? Notes-en trois et évalue ton texte à l'aide de ces critères.
- Quel aspect a été le plus réussi?
- Quel aspect devras-tu améliorer?

Une terre ronde

par
Frédérique Saucier

Une terre ronde
Une terre bleue
Une terre verte de forêts
La Terre
Une boule dans l'univers immense
Ma seule demeure
Où je vis
Où je respire
Terre mon unique jardin
Fragile dans l'espace
Petite dans l'infini
Comme la plus belle des roses
Ne pas te cueillir
Ne pas t'étouffer
Ne pas te faner
Mais te soigner
Te cultiver
Te respirer
Te voir t'épanouir pour nous faire vivre.

Source: Frédérique SAUCIER, «Une terre ronde», dans Axel FORFERT, *Anthologie des jeunes poètes francophones*, Saint-Hippolyte, Éditions du Noroît, 1997, p. 35.

Prépare-toi !

- Fais des liens. Quelle importance accordes-tu à l'environnement ? Discutes-en avec un ou une camarade.
- Pose des questions. Selon toi, quels messages ces poèmes transmettent-ils ?

Terrabulle...

par Axel Forfert

As-tu vu les poissons dans leur bocal rond ?
Jamais ils ne polluent leur eau par du pétrole
As-tu vu les poissons dans leur bocal rond ?
Jamais de pesticides, de bombes qui survolent...

As-tu vu les oiseaux dans leur cage à barreaux ?
Jamais de fumées noires, de bouteilles qui traînent
As-tu vu les oiseaux dans leur cage à barreaux ?
Jamais de cris, d'insultes, de maux et de migraines...

As-tu vu l'être humain sur son bocal bleu ?
Qui perce, casse, brise, brûle, pollue, détruit
As-tu vu l'être humain dans la bulle perdue
Qui essaie de crever les parois de la vie...

Source : Axel FORFERT, « Terrabulle... », *Anthologie des jeunes poètes francophones*, Saint-Hippolyte, Éditions du Noroît, 1997, p. 23.

Réagis au texte.

1. Ces poèmes ont-ils été utiles pour t'aider à mieux comprendre l'importance de protéger l'environnement ? Comment ?

2. Choisis une expression ou une partie d'un poème que tu trouves particulièrement intéressante. Explique ton choix. Quelles images te fais-tu de la Terre après avoir lu un de ces poèmes ?

Enrichis ton vocabulaire.

3. Relève cinq mots dans ces poèmes. Utilise-les pour écrire un autre poème ou un paragraphe en lien avec le thème et lis-le à un ou à une camarade.

COFFRE À OUTILS
COMMUNICATION ORALE

Avec un ou une camarade, prépare un jeu de rôle traitant d'un sujet écologique (ex. : entrevue entre un ou une journaliste et un ou une scientifique). Les questions environnementales suscitent de vives réactions chez les gens. De plus en plus de gens croient que nous devons assumer la responsabilité de nos actes. Dans votre jeu de rôle, pensez à inclure une discussion sur les *pour* et les *contre* de la responsabilisation de nos actes.

Faire un exposé

Pour préserver et mieux gérer nos ressources en eau, nous devons comprendre le rôle et l'importance de l'eau. Un exposé oral peut être une bonne façon de livrer de l'information sur une de nos plus importantes ressources naturelles.

Faire un exposé

Un exposé peut être utile pour sensibiliser les gens à un problème en leur expliquant des enjeux complexes de façon simple.

Démarche

- Fais une recherche sur un sujet écologique portant sur l'eau que tu trouves important et intéressant.
- Trouve l'information et les données requises pour présenter ton sujet.
- Prévois des schémas pour expliquer les idées principales.
- Rédige un brouillon de ton exposé et détermine les éléments visuels qui accompagneront ton texte (ex. : schéma, tableau, diagramme, illustration, photo).
- Recueille des commentaires et apporte les corrections appropriées.

POUR T'AIDER...

Quand tu prépares ton exposé...

- Choisis des schémas clairs et faciles à comprendre.
- Réfère-toi souvent aux schémas.
- Pense aux questions qu'on pourrait te poser pour choisir l'information à présenter.
- Trouve des façons de rendre ton exposé intéressant.

Quand tu écoutes un exposé...

- Pose des questions pour mieux comprendre et obtenir plus d'information.
- Écoute les idées et les réponses des autres.
- Prends des notes pour résumer les points importants.

PASSE À L'ACTION !

Avec un ou une camarade ou en équipe, prépare un court exposé sur un sujet en lien avec l'utilisation que l'on fait de l'eau (ex. : les activités récréatives, l'agriculture, son importance économique). Présentez votre travail à la classe.

- Invitez le public à poser des questions puis à résumer ce qui a été dit.

RÉFLÉCHIS...

- En quoi l'utilisation des schémas a-t-elle modifié ta façon de préparer et de faire ton exposé ?
- Comment as-tu rendu ton exposé intéressant ?
- Que ferais-tu différemment la prochaine fois ?

Chasseur de débris flottants

par Loree Griffin Burns

Curtis Ebbesmeyer est un océanographe qui utilise des méthodes innovatrices pour comprendre l'océan. Ses expériences dépendent beaucoup des débris et des objets qui tombent des navires ou qui sont jetés à la mer. Elles reposent aussi sur son équipe de bénévoles qui observent l'océan aux quatre coins du monde.

L'océanographe Curtis Ebbesmeyer.

L'originalité de ses méthodes a permis à Curtis de se tailler une solide réputation dans le domaine de l'océanographie. Il est reconnu comme le plus grand expert en matière de débris et d'objets flottants. Les résultats de son travail sont publiés dans les revues scientifiques. Chaque année, il fait une tournée des écoles pour expliquer aux élèves l'importance de son travail.

«Suivre le parcours des jouets et des chaussures nous permet de voir ce que l'océan fait avec nos débris, déclare Curtis. On peut suivre le déplacement des objets en fonction des courants marins et leur niveau de désintégration au fil du temps… et en tirer des leçons.»

Prépare-toi !

- Pose des questions. Survole le texte (titre, intertitres, légendes et schémas). À quelles questions cet article répondra-t-il, à ton avis ?
- Utilise tes connaissances. Quels sont les éléments visuels qui t'aideront à mieux comprendre ce texte ?

Tout a commencé par des chaussures mouillées...

Curtis n'a pas toujours suivi la trajectoire de débris flottants. Ses premières recherches sur les courants marins étaient plutôt ordinaires. Mais en 1990, sa carrière a pris un virage intéressant. Sa mère lui a montré un article dans le journal local qui décrivait une décharge de chaussures – des centaines de chaussures abandonnées sur des plages de Seattle, sur la côte nord-ouest du Pacifique aux États-Unis. Personne ne savait d'où venaient ces chaussures. Mme Ebbesmeyer s'est dit que son fils, qui gagnait sa vie en étudiant les courants marins, devrait pouvoir le découvrir. Ne voulant pas décevoir sa mère, Curtis a entrepris de trouver l'origine des chaussures.

Curtis s'est intéressé aux chaussures et aux jouets pour le bain trouvés un peu partout dans le monde afin de mieux comprendre les courants marins.

La collecte d'indices

Il a commencé son enquête sur la plage. «Je me promenais le long de la côte et je questionnais les gens. Au bout d'un moment, les ramasseurs de débris flottants se sont mis à m'appeler.»

Les ramasseurs de débris flottants qu'il a rencontrés lui ont parlé de chaussures qui s'échouaient tout le long de la côte ouest de l'Amérique du Nord. Curtis n'a pas tardé à constater que des chaussures avaient été trouvées au nord aussi loin que dans les îles de la Reine-Charlotte, en Colombie-Britannique, et aussi loin au sud qu'à la frontière de l'Oregon et de la Californie aux États-Unis. Comme toutes les chaussures étaient de la même marque, il a communiqué avec l'entreprise qui les fabriquait. De nombreux mois – et de nombreux appels – plus tard, des représentants du service de transport de l'entreprise lui ont fourni l'information qu'il cherchait: un navire avait perdu cinq conteneurs de chaussures au mois de mai. Lentement, Curtis a commencé à réunir les renseignements.

DES DÉBRIS FLOTTANTS

On ne trouve pas tous les jours des chaussures échouées sur les côtes, mais on trouve beaucoup d'autres objets. Dans un effort de nettoyage international, des bénévoles de 64 pays, y compris le Canada, ont ramassé plus de 1,8 million de débris sur les berges des océans et des cours d'eau du monde. Plus de la moitié de ces débris étaient en plastique.

Les débris les plus courants sur les plages

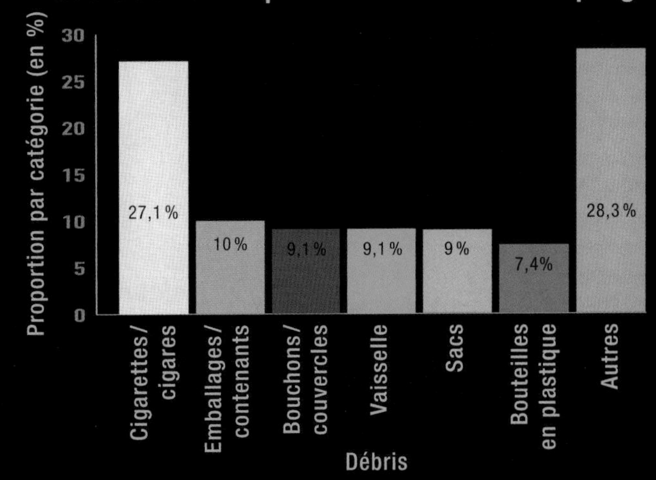

Source : ***Rapport d'Ocean Conservancy sur la Journée internationale de nettoyage des côtes, 2006.***

Une tempête en pleine mer

Le navire *Hansa Carrier* transportait des marchandises entre la Corée et l'Amérique du Nord. Il était rempli à capacité quand il s'est heurté à une violente tempête dans le nord de l'océan Pacifique. Le navire n'a pas subi de dommages, mais 21 des conteneurs qui se trouvaient sur le pont sont tombés à l'eau. Cinq de ces conteneurs étaient remplis de chaussures.

La reconstitution des événements

En 1993, trois ans après le déversement, Curtis avait recueilli beaucoup d'information sur les chaussures. Avec l'aide des ramasseurs de débris flottants, il avait retrouvé des milliers de chaussures échouées. Grâce aux numéros de série fournis par le fabricant, il a pu déterminer quelles chaussures provenaient du *Hansa Carrier*. Plus important encore, il avait déniché le journal de bord du navire et il savait exactement où dans l'océan Pacifique le *Hansa Carrier* avait perdu sa cargaison. Cette chasse aux chaussures entreprise pour satisfaire la curiosité de sa mère prenait une ampleur inattendue.

Un conteneur peut peser jusqu'à 27 000 kg. Des centaines de ces conteneurs sont régulièrement empilés sur les ponts des navires.

Une pleine cargaison de chaussures provenant du *Hansa Carrier*. Elles ont été récupérées sur une période de plusieurs années par John Anderson, ramasseur d'épaves de la ville de Forks, à Washington.

La science des chaussures

Comme les chaussures flottent, la perte accidentelle de 5 conteneurs – environ 80 000 chaussures – constituait la plus importante expérience de déversement jamais vue. Pour savoir si l'information qu'il avait recueillie pouvait être utile à la science, Curtis a communiqué avec son ami et collègue océanographe W. James Ingraham, fils.

James était un scientifique travaillant pour la National Oceanic and Atmospheric Administration (NOAA). Comme Curtis, il étudiait les courants marins. En fait, James avait passé des années à mettre au point un programme de modélisation qui pouvait calculer les courants marins de surface dans l'océan Pacifique Nord. Le programme s'appelait Ocean Surface CURrent Simulator, ou OSCURS.

OSCURS intéressait Curtis pour deux raisons. D'abord, quand on y entrait une date de départ (n'importe quelle date des 100 dernières années) et un endroit précis dans l'océan (une longitude et une latitude), OSCURS pouvait dire où l'eau de cet endroit se trouverait le lendemain… et le jour suivant. En fait, OSCURS pouvait déterminer où l'eau était susceptible de se trouver n'importe quel jour entre la date de départ et la date de l'étude. Ensuite, comme les objets qui flottent se déplacent avec les courants de surface, OSCURS représentait un excellent moyen de suivre le parcours des chaussures flottantes.

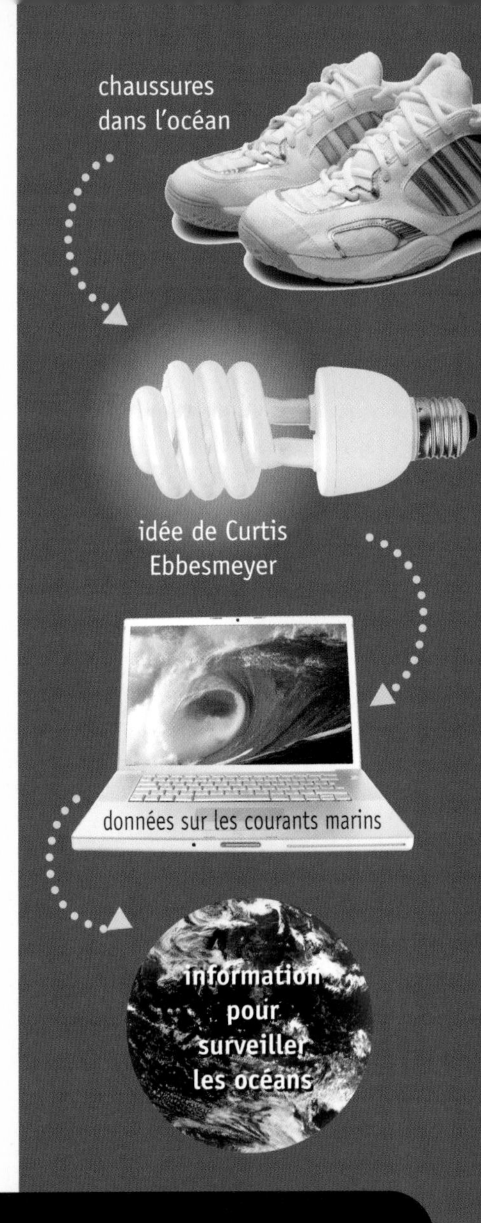

LES COURANTS MARINS

Contrairement aux vagues et aux marées, les courants marins sont difficiles à voir. Ils sont soumis à des forces complexes, par exemple les vents, la rotation de la planète et les variations de la température, de la densité et de la salinité de l'eau. Ces forces combinées constituent des courants puissants qui suivent des modèles relativement prévisibles.

Les courants de surface, qui se trouvent dans la partie supérieure de la mer, sont les courants les plus importants pour suivre les débris et les objets flottants. Comme on peut le voir sur la carte, les courants de surface se rejoignent pour créer de grands mouvements circulaires. Ces spirales sont appelées *tourbillons océaniques*.

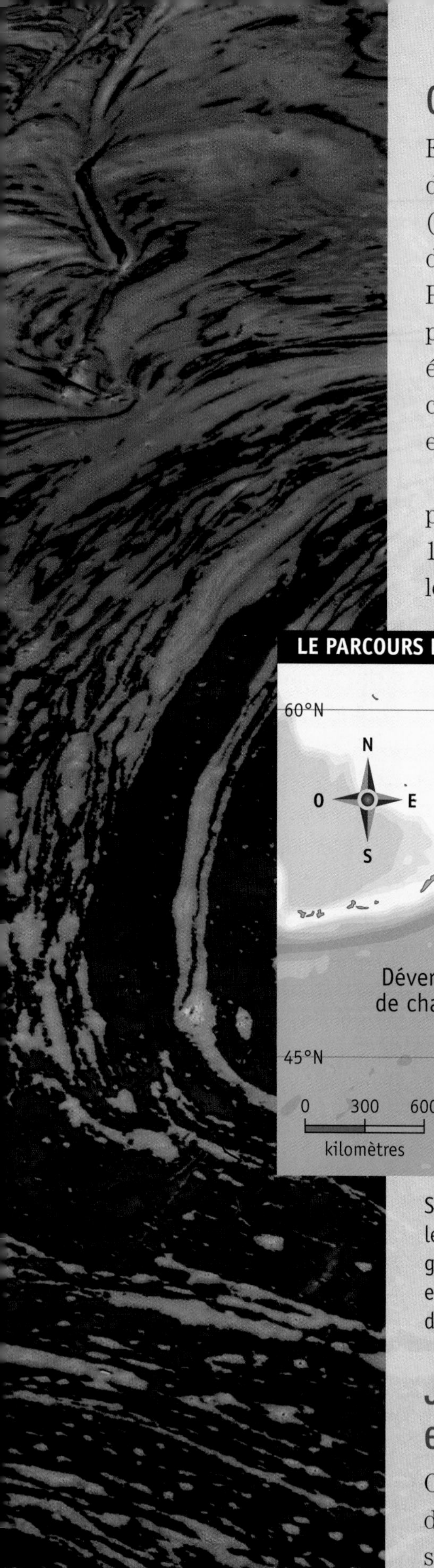

OSCURS est mis à l'épreuve

En 1992, James a entré dans le programme OSCURS les données du déversement de chaussures. Il a indiqué le lieu du déversement (océan Pacifique Nord à 48 degrés de latitude nord et 161 degrés de longitude ouest) et la date du déversement (27 mai 1990). Puis il a demandé à OSCURS de tracer la dérive des chaussures pendant l'année suivante. OSCURS a prédit que les chaussures échoueraient sur l'île de Vancouver le 31 janvier 1991. En fait, des centaines de chaussures ont atteint l'île entre le 21 décembre 1990 et le 1er mars 1991. Le programme est tombé pile.

«Le modèle OSCURS est excellent, a déclaré Curtis. Toute prédiction se situant dans un délai d'un mois ou en dedans de 160 km est vraiment bonne. Cela nous permet de reconstituer le parcours d'un objet flottant dans l'océan.»

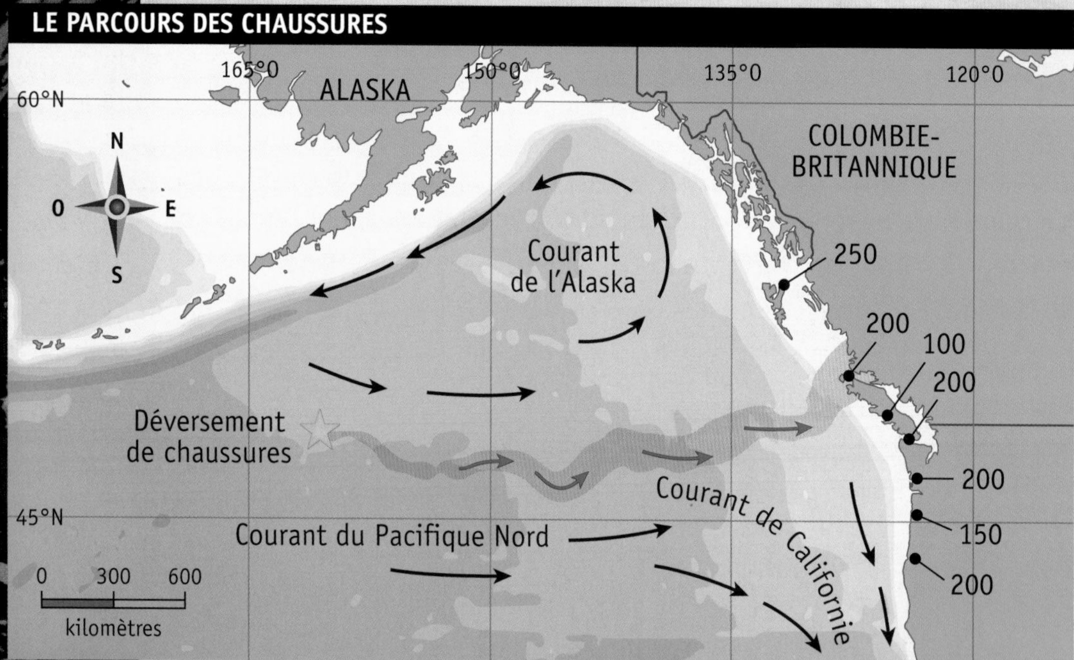

Selon le programme OSCURS, les chaussures perdues par le *Hansa Carrier* ont suivi le parcours indiqué par les flèches rouges sur cette carte. Les endroits où de grandes quantités de chaussures ont échoué entre les mois de novembre 1990 et de mai 1991 sont montrés par les points noirs. Le nombre indique combien de chaussures ont été trouvées à chaque endroit.

Jouets pour le bain, gants de hockey et beaucoup de LEGO[MC]

Curtis reste en contact avec la communauté des ramasseurs d'épaves. Quand il y a un déversement, il en entend parler. Et il semble qu'il y en a toujours de nouveaux. La liste des débris flottants ne cesse de s'allonger. Curtis et James continuent de faire le suivi.

En décembre 2002, 33 000 autres chaussures sont tombées dans l'océan Pacifique.

Le 13 février 1997, des conteneurs tombés du *Tokio Express* ont déversé 4 756 940 blocs LEGO^MC dans l'océan Atlantique.

Le 20 février 1996, le *Ocean Orchid* a perdu 1100 rondins de sapin au centre du golfe d'Alaska.

Le 9 décembre 1994, le *Hyundai Seattle* a perdu un conteneur dans lequel se trouvaient 34 000 gants de hockey.

Source : Traduction libre. Loree GRIFFIN BURNS, *Tracking Trash : Flotsam, Jetsam, and the Science of Ocean Motion*, 2007. Reproduit avec la permission de Houghton Mifflin Harcourt Publishing Company.

Réagis au texte.

1. Explique comment les débris peuvent aider Curtis Ebbesmeyer à mieux comprendre les océans.
2. Imagine que tu es journaliste. Rédige une ou deux questions que tu aimerais poser à Curtis. Montre tes questions à un ou à une camarade et note ce que Curtis pourrait répondre.

Enrichis ton vocabulaire.

3. Repère dans le texte les mots suivants :
   - innovatrices (page 80)
   - flottants (page 81)
   - abandonnées (page 81)
   - échouées (page 81)
   - curiosité (page 82)

   Écris ces mots sur une feuille et note un synonyme ou un antonyme pour chacun en précisant s'il s'agit d'un synonyme ou d'un antonyme. Selon toi, est-ce important de tenir compte du contexte lorsqu'on choisit un synonyme ou un antonyme ? Pourquoi ?

COFFRE À OUTILS **MÉDIA**

On raconte souvent des faits insolites dans les médias. Ces histoires attirent l'attention des lecteurs et lectrices, mais peuvent aussi nous informer au sujet de phénomènes écologiques.

- Travaille avec un ou une camarade. Cherchez dans les journaux ou dans Internet d'autres histoires au sujet d'objets retrouvés dans l'océan. Présentez vos découvertes à la classe.

Analyser des messages dans les médias

Un même sujet est souvent présenté de diverses façons dans les médias et peut être traité sous des aspects différents. Les gens qui assurent la rédaction et la production de ces médias ont recours à des idées et à des techniques qui leur permettent d'atteindre leur but tout en intéressant leur public cible. Observe les médias suivants.

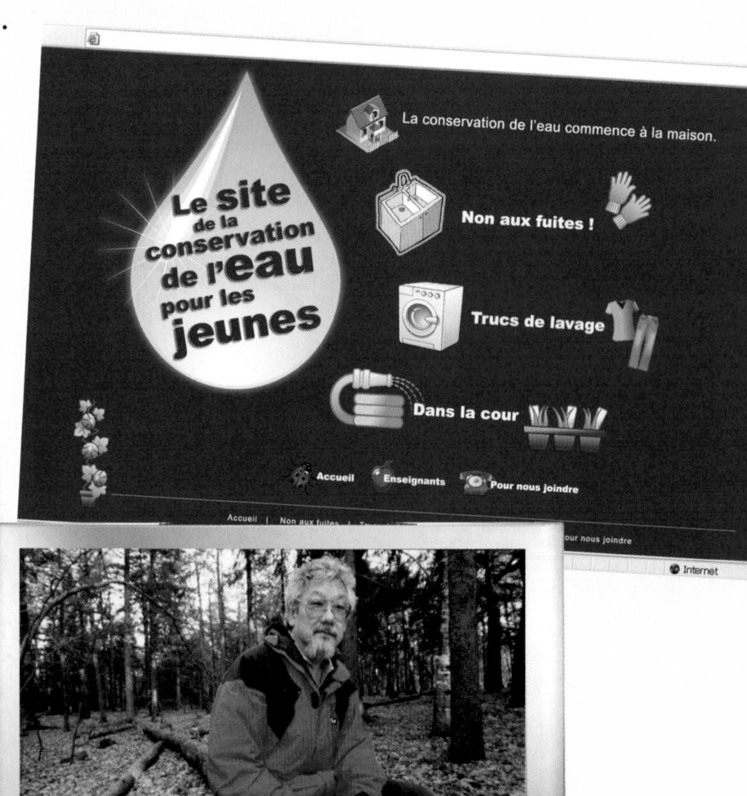

En quoi ces médias sont-ils semblables? En quoi sont-ils différents?

Quelles techniques sont utilisées dans chaque exemple pour attirer l'attention du public?

À ton avis, à quel public s'adresse chacun des exemples?

PASSE À L'ACTION !

Fais preuve d'esprit critique. Avec un ou une camarade, trouve trois messages dans les médias qui traitent des ressources en eau ou d'un autre enjeu environnemental. Regardez dans les journaux ou les magazines (imprimés ou en ligne). Vous pouvez également chercher dans les émissions de télévision ou les balados. Notez le titre et la date de chaque message que vous évaluez. Lisez, regardez ou écoutez chaque message.

Analyser des messages dans les médias

Ces médias réussissent-ils à transmettre efficacement le message ?

- Notez ce que vous avez appris de nouveau sur le sujet.
- Identifiez le public ciblé par ce message.
- Notez les techniques employées pour capter l'attention du public.
- Dressez la liste des éléments visuels utilisés pour aider à comprendre l'information (ex. : des tableaux, des images, des schémas) et déterminez s'ils aident à saisir les idées principales.
- Déterminez le point de vue présenté.
- Examinez l'impartialité de l'exposé. Analysez si des points de vue ont été exclus.
- Évaluez l'efficacité des médias et si le message a atteint son objectif.

POUR T'AIDER...

- Dégage la façon dont le texte est présenté (ex. : la mise en page, la police de caractères, les angles de prise de vue).
- Détermine les connaissances que l'auteur ou l'auteure du texte s'attendait à trouver chez le public.

- Discutez de vos conclusions avec une autre équipe et évaluez à quel point les messages sont efficaces.
- Déterminez quel message est le plus percutant et expliquez pourquoi.

RÉFLÉCHIS...

Comment le fait de lire et d'analyser des textes explicatifs a-t-il été utile pour comprendre des messages dans les médias ? Justifie ta réponse.

L'Arctique fond

Le réchauffement planétaire menace la Terre entière, et plus particulièrement les pôles. L'Arctique se réchauffe *plus vite* que la moyenne mondiale. La banquise et la toundra commencent à fondre. Les scientifiques estiment que **la fonte** estivale de l'océan Arctique pourrait se produire entre 2010 et 2040.

La glace réfléchit 80 % de la chaleur du Soleil.

SOLEIL

Sans glace, la Terre absorberait plus la chaleur (90 %) et se réchaufferait bien plus vite.

L'eau réfléchit 10 % de la chaleur du Soleil.

Actuellement, la glace des pôles renvoie une bonne partie de la lumière du Soleil dans l'espace (80 %), évitant à notre planète de se réchauffer.

La glace absorbe 20 % de la chaleur du Soleil.

La mer absorbe 90 % de la chaleur du Soleil.

Plus de 80 % du Groenland est recouvert d'une gigantesque épaisseur de glace appelée *calotte glaciaire du Groenland*. Si cette glace fondait entièrement, le niveau de la mer pourrait, selon les scientifiques, augmenter de plus de 7 m d'ici une centaine d'années.

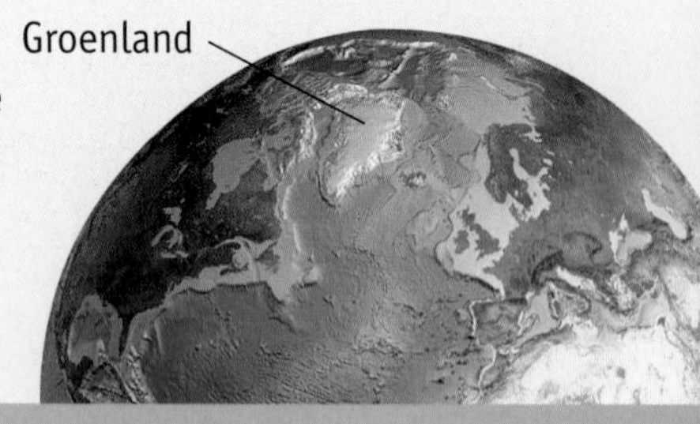

Prépare-toi !

- Utilise tes connaissances. Que connais-tu au sujet de l'Arctique ? Que pourrais-tu trouver dans une encyclopédie au sujet de l'impact du réchauffement de la planète dans l'Arctique ?
- Fais des liens. As-tu déjà lu un article d'encyclopédie ? Dans quel contexte un article d'encyclopédie peut-il être utile ?

Un changement local, un effet mondial

L'élévation du niveau des mers entraînera plus d'inondations dans les régions côtières du monde entier. New York est généralement inondée tous les 100 ans. Toutefois, si le niveau de la mer augmente d'un mètre, la ville pourrait être sous les eaux tous les trois ans. Le schéma ci-dessus montre une autre conséquence de la fonte de l'Arctique.

Que se passerait-il si la glace fondait ?

La glace est indispensable aux ours polaires.

Les conséquences seraient désastreuses... La glace est indispensable aux ours polaires qui chassent sur la banquise, aux phoques et aux morses qui y mettent bas et s'y reposent. Plus au sud, on trouve d'immenses glaciers, des rivières de glace qui descendent le long des montagnes du Groenland et de la Norvège. Si l'Arctique se réchauffe, ces glaciers fondront et se déverseront dans la mer. L'industrie gazière et pétrolière en Arctique pollue. La fonte des glaces faciliterait le transport maritime et augmenterait le taux de pollution. Les croisières touristiques sont de plus en plus nombreuses dans le Grand Nord. Il y en aurait alors davantage. Cela perturberait encore plus la nature.

Les glaciers qui fondent se déversent dans la mer.

Source : Chris WOODFORD, « L'Arctique fond », *Pour une planète verte ! L'encyclopédie de l'écologie*, Saint-Laurent, ERPI, 2009, p. 46 et 47.

Réagis au texte.

1. À l'aide de l'information de cet article d'encyclopédie, explique pourquoi nous devrions nous préoccuper de la fonte des glaciers en Arctique.
2. Imagine que tu es journaliste et que tu fais une recherche pour rédiger un article sur la fonte des glaciers en Arctique. Prépare une liste de questions que tu pourrais poser à un ou à une scientifique. Avec un ou une camarade, prépare un jeu de rôle pour présenter les renseignements recueillis.

Enrichis ton vocabulaire.

3. En équipe, relevez des mots du texte. Ensuite, un ou une élève de ton équipe choisira secrètement un mot et le mimera pour l'équipe. Celui ou celle qui trouve et épelle correctement le mot mimé et qui est capable de le mettre en contexte dans une nouvelle phrase complète et pertinente sur le sujet peut choisir un autre mot à mimer dans la liste.

COMPARER DES TEXTES

Dégage la structure d'un article d'encyclopédie. En quoi est-elle semblable à celle d'un article de fond ? En quoi est-elle différente ? À ton avis, quel texte est le plus intéressant, un article de fond ou un article d'encyclopédie ? Pourquoi ? Discutes-en avec un ou une camarade.

Prépare-toi !

- Fais des liens. Quel est ton endroit préféré ? Que ferais-tu pour protéger cet endroit ?
- Utilise tes connaissances. Que pourrais-tu faire pour changer une situation avec laquelle tu n'es pas d'accord ? En quoi Internet est-il un bon moyen de faire connaître une cause ?

Jennifer marche lentement dans le sentier pour se rendre au sommet de la colline qui surplombe la ville. Elle emporte toujours avec elle son appareil photo. Lors de sa dernière randonnée, elle a photographié un chevreuil, une perdrix et des mésanges. Sur la colline, elle lit ou bien elle admire le paysage, la forêt et la rivière qui coule un peu plus bas. Ce que Jennifer adore de cet endroit, c'est d'être aussi près de la ville, mais en pleine nature sauvage.

Aujourd'hui, un son inquiétant parvient à ses oreilles. Un bruit de moteur qui gronde sans arrêt. Elle a compris ce que ça

signifie… Dans son esprit, elle voit déjà sa forêt abattue et remplacée par des maisons en rangées. Non !

Elle avance en direction du bruit, se frayant un chemin au travers des branches. Le bruit devient plus fort. Bientôt, une clôture l'empêche d'aller plus loin. Une clôture toute neuve avec des pancartes « terrain privé, interdit de passer ». Jenny prend quelques photos. Clic ! Clic !

Jennifer est intriguée. À qui appartient ce terrain ? Que font les machines qu'elle ne voit pas, mais qu'elle entend très clairement ?

* * *

Le soir, à la maison, elle parle de sa découverte à son père.

— Ce terrain appartient au gouvernement, répond-il après avoir fait quelques recherches. Il n'y a pas de projet de construction sur ce site. Peut-être a-t-il été acheté par une compagnie forestière pour y faire de la coupe de bois ?

— De la coupe de bois ? C'est horrible ! Ils vont détruire toute la forêt ! C'est le poumon de la ville, le seul endroit encore sauvage. Il faut empêcher ça !

— Jenny, ne panique pas, on n'en sait rien, lui dit son père d'un ton rassurant.

* * *

Les jours suivants, la pluie empêche Jennifer de retourner dans le bois. Lorsque le soleil se montre enfin, elle prend avec elle son précieux appareil photo. Jamais elle n'a couru si vite dans son sentier. Lorsqu'elle arrive au sommet de la colline, le chant des oiseaux l'accueille. Pas le moindre bruit de machines. Génial ! pense-t-elle, soulagée. Pourtant, quelque chose lui dit que ce calme n'est pas normal. Elle veut comprendre pourquoi cette clôture est apparue au milieu de la forêt. Elle s'y rend et en fait le tour. Le terrain clôturé fait ½ kilomètre sur 300 mètres, trop petit pour être une zone de coupe. Une porte grillagée, fermée par un cadenas et une grosse chaîne, bloque le passage. La mise en garde « accès strictement interdit, sous peine d'amende » découragerait quiconque de s'aventurer plus loin. Mais pas Jennifer. Elle veut comprendre. C'est sa forêt qui est menacée.

Clic ! Clic ! Jennifer prend quelques photos avant de commencer l'ascension de la clôture. Lorsqu'elle atterrit de l'autre côté, ses mains sont égratignées, son manteau déchiré. Elle avance sur le chemin creusé par la machinerie. Elle atteint le bout du terrain sans y avoir remarqué rien d'anormal. La forêt est propre, les branches ont été ramassées. Il semble même que des arbres aient été plantés sur un carré de gazon.

— Du gazon au milieu de la forêt ? Voilà qui est vraiment bizarre !

Le bruit d'une voiture la fait soudain paniquer. Elle plonge dans un buisson. Un petit camion, semblable à ceux utilisés pour l'entretien des pelouses, se gare près du carré de gazon. Un homme en descend. Il regarde autour de lui, comme s'il cherchait quelqu'un ou quelque chose. Ses yeux se fixent sur le buisson où s'est cachée Jennifer. La jeune fille arrête de respirer. L'homme contourne le camion et s'affaire derrière. Jennifer ne voit plus rien.

Puis, un bruit de pompe se fait entendre pendant une minute. Jennifer en profite pour prendre des photos, mais elle n'ose pas bouger ou contourner le camion. Elle a trop peur que l'homme l'aperçoive. Mais il repart à bord de son véhicule.

Jennifer s'approche du gazon. Une curieuse odeur s'en dégage. Elle s'attend à ce que l'herbe soit mouillée d'engrais ou d'herbicide. Mais non, elle est à peine humide. Elle prend encore quelques photos et rentre à la maison, déçue de ne pas avoir élucidé ce mystère.

* * *

Les semaines passent. L'été est pluvieux et Jennifer, occupée à garder son petit frère Victor, n'a pas le temps de retourner sur sa colline. Elle a presque oublié l'incident du gazon lorsqu'elle vide la carte mémoire de son appareil photo et retrouve les clichés. Son ami Cédric examine les photos que Jennifer s'apprête à jeter dans la poubelle.

— Où as-tu pris ces photos ? demande-t-il, intrigué.

— Dans la forêt au nord de la ville. Une clôture est apparue du jour au lendemain et quelqu'un arrosait un carré de gazon… au beau milieu de la forêt !

— Eh... je connais cet homme.

— Quel homme ? J'ai eu tellement peur de me faire repérer que je ne l'ai pas pris en photo. Juste son camion et la clôture. Mais il n'y avait aucune indication à qui appartient ce terrain.

— Regarde ! Je reconnaîtrais cette cicatrice entre mille.

En quelques clics de souris, Cédric zoome sur le miroir du camion. On y voit le visage de l'homme. Sa joue est traversée par une cicatrice.

— Il a déjà travaillé avec mon père… dans une usine de produits chimiques. Il a perdu son travail, je ne sais pas pourquoi. Mon père ne l'aimait pas beaucoup.

Il zoome sur la photo du camion. Dissimulées sous la peinture, on peut lire deux lettres… PE ou PB.

— Je pense qu'il est temps de retourner sur place, déclare Jennifer. Ce que j'ai vu là-bas est trop étrange. Veux-tu m'accompagner ?

Les deux jeunes s'élancent dans le sentier de Jennifer. Au bout d'une heure, ils atteignent la clôture. L'endroit est désert. Cédric sort une caméra vidéo et commence à filmer pendant que Jennifer saute par-dessus la clôture. Puis Cédric la rejoint et ils marchent en direction du centre du terrain, là où Jenny avait vu le carré de gazon.

— Ouille ! Ce n'est pas beau à voir ! s'exclame Cédric en filmant les arbres aux feuilles grises et desséchées.

— Tu crois que les arbres ont manqué d'eau ?

— Pas avec toute la pluie qu'il y a eu cet été. Regarde le gazon, il est vert.

Jennifer se penche et prélève quelques brins d'herbe.

— Hé ! Ce n'est pas du vrai gazon ! Ça ressemble à de la sciure de bois peinte en vert.

— Regarde ce que j'ai trouvé, dit Cédric en montrant une tache blanche et gluante.

Pendant que Cédric filme, Jennifer enlève la sciure avec une branche. Après avoir creusé pendant quelques minutes, elle découvre un bouchon noir vissé à un tuyau.

— C'est un drain agricole, un tuyau perforé. Il doit y en avoir partout sous la sciure.

Le tuyau est rempli de la substance gluante. Jennifer reconnaît l'odeur qu'elle avait sentie la première fois.

— C'est horrible, se révolte Jennifer. Si on le laisse faire, il va polluer tout ce coin de forêt.

— Ce n'est pas ça le pire. Regarde !

Cédric la conduit à l'extrémité du terrain et lui demande :

— Qu'est-ce que tu entends ?

— Un ruisseau !

— Exactement ! Ce ruisseau se jette dans la rivière plus bas, et on boit l'eau de cette rivière. Ce monstre va rendre malades tous les gens de la ville. Il faut le dénoncer au plus vite !

* * *

— Vos accusations sont ridicules, déclare le maire après avoir à peine regardé le dossier élaboré par Jennifer et Cédric. La compagnie PB fabrique des sacs à partir de plastique recyclé. Sa recette est unique au monde et elle est garantie sans danger pour l'environnement. Cette usine a créé plus de 200 emplois dans notre ville. Vous ne voulez pas faire perdre le gagne-pain de 200 pères et mères de famille, n'est-ce pas ?

Jennifer et Cédric viennent d'essuyer un refus catégorique. Pourtant, il n'y a aucun doute pour eux que la compagnie déverse ses déchets toxiques directement dans la nature. Mais la compagnie est protégée par des gens importants qui ne considèrent que le profit et les emplois créés.

— Imagine, spécule Cédric, que PB ait vendu sa recette ailleurs. Il y aura peut-être d'autres villes qui seront contaminées comme la nôtre. On ne peut pas abandonner notre cause.

— Alors, il faut frapper plus fort, dit Jennifer, en haussant la voix pour que le maire entende. Nous allons utiliser le moyen publicitaire le plus puissant jamais conçu. Nous allons faire une vidéo dans laquelle nous exposerons toutes nos preuves. Puis, nous la diffuserons sur *You Tube* et sur tous les réseaux sociaux du Net. En quelques jours, l'hôtel de ville sera inondé de courriels et d'appels téléphoniques. Les journalistes viendront de partout pour dénoncer cette compagnie qui pollue honteusement notre planète.

— Vous rêvez, les jeunes, se moque le maire. Retournez plutôt à vos jeux vidéo !

* * *

Un mois plus tard, une seconde vidéo est envoyée sur *You Tube*. On y voit Jennifer et Cédric serrant la main du maire. En arrière-plan, on aperçoit le dernier panneau de clôture enlevé et de nouveaux arbres plantés. Jennifer s'adresse à la caméra :

« Merci à vous tous, amis et inconnus du monde entier, de votre soutien dans l'affaire des plastiques PB. Grâce à vous, la compagnie PB a cessé ses activités illégales, et a procédé à la décontamination du terrain souillé par le déversement de produits toxiques. Rappelons-nous que l'union fait la force et que c'est ensemble qu'on protégera notre belle planète. »

Réagis au texte.

1. Fais la description d'un personnage de ce texte (nom, rôle, caractéristiques physiques, traits de personnalité) et note-la sur une fiche. Pourquoi avoir choisi de le décrire à l'aide de ces caractéristiques plutôt que d'autres ? À l'aide d'extraits du texte, explique tes choix à un ou à une camarade.
2. Pourrais-tu transformer facilement cette histoire en bande dessinée ? Discute de cette question avec un ou une camarade en justifiant ta réponse.

Enrichis ton vocabulaire.

3. Pour nous aider à visualiser l'histoire, les auteurs font des descriptions. Relève des exemples de descriptions dans ce texte. Présente ton travail à un ou à une camarade.

COMPARER DES TEXTES

- Fais le schéma de ce récit à l'aide des points suivants.

  Situation de départ : Quel est le contexte au début de l'histoire (les personnages et leurs caractéristiques, le lieu, etc.) ?

  Élément déclencheur : Quel événement vient changer la situation de départ ?

  Péripéties : Quels sont les principaux événements qui surviennent à la suite de ce changement ?

  Dénouement : Que se produit-il après ces événements ?

  Situation finale : Comment l'histoire se termine-t-elle ?
- Compare la structure de ce texte avec celles d'autres textes lus dans ce module. Discutes-en avec un ou une camarade.

À L'ŒUVRE!

Organiser une conférence de presse

Une conférence de presse est un événement au cours duquel les participants présentent aux médias de l'information et leur propre point de vue sur un sujet.

En petit groupe, organisez une conférence de presse sur un problème lié aux ressources en eau.

Jacynthe:

Bonjour. Merci d'être là. Nous avons convoqué cette conférence de presse pour vous parler d'un sujet important: l'eau et la santé.

David:

Au Canada, nous avons la chance d'avoir de l'eau potable en abondance. Mais beaucoup de gens dans le monde n'ont pas accès à de l'eau potable.

DES DONNÉES SUR L'EAU ET LA SANTÉ

- Environ 2,6 milliards de personnes n'ont pas accès à des toilettes et à des systèmes d'assainissement d'eau.
- La moitié des lits d'hôpitaux dans le monde sont occupés par des personnes qui souffrent d'une maladie causée par l'eau insalubre ou le manque d'eau.
- On estime que 42 000 personnes meurent chaque semaine d'une maladie liée à l'eau insalubre ou au manque d'assainissement. La plupart sont des enfants.
- Un des objectifs du millénaire pour le développement de l'Organisation des Nations unies est de réduire de moitié, d'ici 2015, le pourcentage de la population qui n'a pas accès à un approvisionnement en eau potable ni à des services d'assainissement de base.

L'assainissement dans le monde

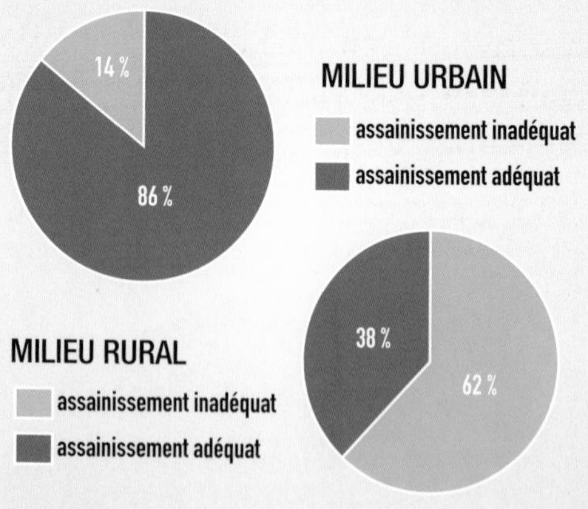

Source: The World's Water, 2000.

Avant de commencer, réfléchis à ce que tu as lu et à ce dont tu as discuté dans ce module.

Sujet	*Les problèmes qui touchent les ressources en eau*
Intention	*Informer les médias*
Public cible	*Les gens des médias (ex.: les journalistes)*
Forme du texte	*Conférence de presse*

PLANIFIEZ VOTRE CONFÉRENCE DE PRESSE.

Déterminez comment vous allez présenter votre travail. Votre conférence de presse devrait comprendre les éléments suivants:

- un scénario de la présentation;
- des schémas appuyant votre message;
- un article de fond à distribuer aux représentants des médias.

Attribuez des tâches précises à chaque membre de votre équipe.

EN PLUS...

- Faites un balado de votre conférence de presse.
- Intégrez un slogan ou un titre accrocheur pour rendre le sujet de la conférence mémorable.

TENEZ VOTRE CONFÉRENCE DE PRESSE.

- Présentez votre conférence de presse à la classe. À la fin, invitez les journalistes à poser leurs questions.
- Après la conférence de presse, demandez aux élèves de vous dire en quoi votre exposé était efficace et ce qui pourrait être amélioré.

POINTS À SURVEILLER

- Une explication claire du sujet
- Des schémas, des diagrammes, des tableaux ou des cartes pour appuyer l'information présentée
- Un style de présentation adapté au public cible

RÉFLÉCHIS...

- Quels aspects de ton exposé t'ont semblé efficaces? Nommes-en deux.
- En quoi ton exposé reflète-t-il ta compréhension de l'intention et de la structure d'une conférence de presse?

Ton portfolio

- Choisis deux ou trois productions que tu as faites au cours du module et qui montrent bien ce que tu as appris.
- Présente-les à ton enseignant ou à ton enseignante, à ta famille et à tes camarades.

Des textes qui font réagir !

MODULE 3

Quels types de textes te font réagir?

Objectifs d'apprentissage

Dans ce module, tu vas faire les tâches suivantes:

- écouter et lire des textes narratifs qui font réagir, et en discuter;
- utiliser des stratégies pour lire des bandes dessinées, des contes, une pièce de théâtre, des poèmes, une critique et un récit humoristique;

- rédiger un conte sous forme de monologue dans le but de faire réagir ton public;
- analyser et comparer des messages publicitaires en vue d'en dégager le côté humoristique.

À la fin de ce module, tu utiliseras tes connaissances pour présenter un monologue dans le cadre d'un spectacle d'humour.

RIRE, SOURIRE

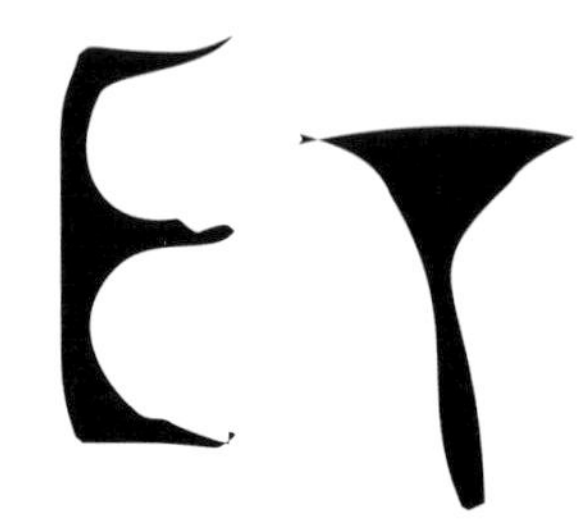

Prépare-toi !

- Fais des liens. Quelles sont tes bandes dessinées préférées ? Quelles bandes dessinées francophones connais-tu ?
- Utilise tes connaissances. Que connais-tu au sujet de la création de bandes dessinées ? Pourquoi est-ce important pour un ou une bédéiste de connaître ses destinataires ?

FOU RIRE !

Source : Raymond PARENT, *Culbute*, Montréal, Les 400 coups, © 1994, 2003, p. 5, 8, 18 et 20.

Parlons-en!

1. Discute avec un ou une camarade. Choisis l'une des quatre illustrations humoristiques présentées. Comment le bédéiste a-t-il utilisé l'humour pour communiquer son message ? Pourquoi l'humour est-il un moyen efficace de communiquer un message ?
2. Forme une équipe avec des camarades. Imaginez que vous devez créer une bande dessinée humoristique sur un événement annuel qui se passe à votre école. Quel événement allez-vous choisir ? Quels dessins pourriez-vous utiliser pour présenter l'événement ? Quels mots ou quelles expressions pourriez-vous employer pour communiquer votre message ?

Quand tu parles...

Attends ton tour pour parler et n'interromps pas les autres.

Appuie tes propos et tes idées d'exemples.

Parle avec expression et conviction.

Clarifie tes idées au besoin.

Quand les autres parlent...

Écoute attentivement.

Réagis aux idées des autres.

Respecte les idées des autres.

Demande des clarifications au besoin.

Lire des contes

Un conte est un récit d'aventures imaginaires écrit dans le but de divertir. L'action se déroule dans un endroit éloigné et à une autre époque. Les personnages sont souvent des rois, des princesses, des géants, des dragons, des fées et des sorcières. Le conte nourrit notre imagination et il fait partie de notre folklore. Analyse le conte suivant.

L'IDÉE LUMINEUSE DU LOUP

par Julie Lévesque

À l'autre bout du monde habite le neveu du Grand Méchant Loup. Il est bien misérable. Depuis une semaine, il ne peut plus aller à la chasse. Le malheureux s'est foulé une cheville en courant après une fillette qui portait un chaperon rouge. Son estomac vide gargouille lamentablement comme un tuyau d'égout. Et, pour ajouter à son malheur, un troupeau de jeunes agneaux alléchants broutent, depuis ce matin, l'herbe du pré, juste sous son nez !

L'habile chasseur regarde tristement les restes de son dernier repas : un sabot noir et luisant d'une chèvre nommée Blanquette, une toison d'agneau toute sale et quelques os qu'il a déjà rongés jusqu'au calcium.

« Pouah ! crie-t-il, d'un air dégoûté. Un loup ne peut pas se contenter d'un tel repas. Ces os n'ont plus aucun goût. Je vais mourir de faim ! »

Soudain, une idée lumineuse lui traverse l'esprit…

« Mais bien sûr ! Pourquoi n'y ai-je pas pensé plus tôt ? Si je me déguisais en agneau, je n'aurais plus besoin de chasser. Je n'aurais qu'à me cacher au milieu du troupeau et… le tour serait joué ! »

Le loup rêve de choisir tranquillement l'agneau le plus dodu et le plus appétissant. L'idée de ne plus avoir à se fatiguer à la chasse le séduit tout à fait.

Vers la fin de l'après-midi, le loup se faufile discrètement parmi les agneaux.

« Il y a assez longtemps que ma famille n'a pas mangé de gigot, dit le berger en marchant parmi les bêtes avec son énorme lame à la ceinture. Ce soir, je vais leur offrir un festin de roi ! »

Et, sur ces mots, il se précipite sur le plus gros animal du troupeau et lui tranche la gorge sans lui laisser le temps de réagir. Mais quand il retourne la bête, il s'aperçoit qu'il a plutôt tué le loup !

« Ah ! vieux farceur ! s'écrie le berger. Tu m'as presque eu encore une fois ! Dommage, mais c'est de l'agneau qui est prévu au menu, ce soir. »

Utiliser ses connaissances

- Que connais-tu déjà sur les contes ?
- En quoi ces connaissances pourraient-elles t'aider à comprendre le texte ?

Faire des inférences

- Que peux-tu lire « entre les lignes » ? S'agit-il de quelque chose d'envisageable qui pourrait se produire, de quelque chose qui arrivera presque certainement, de quelque chose qui s'est passé avant ou qui se passera plus tard ?

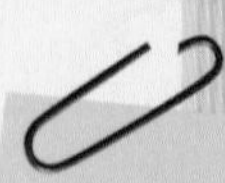

Visualiser

- Quelles images te viennent en tête lorsque tu lis ce texte ?
- Quelles illustrations pourraient accompagner ce texte ?

Interpréter des figures de style

Les figures de style sont des procédés utilisés pour aider les lecteurs et lectrices à s'imaginer un texte et pour produire un effet particulier.

Figure de style	Description	Exemples
Comparaison	Rapprochement entre deux idées à l'aide d'un mot de comparaison (*comme*, *semblable à*, etc.).	«Son estomac vide gargouille lamentablement comme un tuyau d'égout.»
Hyperbole	Amplification d'une idée pour la mettre en relief.	«Je vais mourir de faim!»
Métaphore	Comparaison sous-entendue entre deux idées, sans utiliser de mot de comparaison.	Sébastien est un vrai mouton.
Métonymie	Remplacement d'un terme par un autre terme qui est en lien avec le premier.	• La partie pour le tout: *une bonne plume* pour dire *un bon écrivain*. • Le contenant pour le contenu: *boire un verre* pour *boire le contenu d'un verre*. • L'artiste pour son œuvre: *lire Antonine Maillet* pour *lire l'œuvre d'Antonine Maillet*. • L'instrument ou l'objet pour l'activité: *faire du patin* pour *patiner*. • L'effet pour la cause: *boire la mort* pour *boire le poison*.

Résumer l'information à l'aide d'un organisateur graphique

Un tableau peut être utile pour résumer les idées importantes d'un conte.

Situation de départ (Quel est le contexte: les personnages, leurs caractéristiques, où, quand?)	Élément déclencheur (Quel événement vient changer la situation de départ?)	Péripéties (Quels sont les principaux événements qui surviennent à la suite de ce changement?)	Dénouement (Que se produit-il après ces événements?)	Situation finale (Comment l'histoire se termine-t-elle?)
Ex.: Le neveu du Grand Méchant Loup était malheureux et il avait faim.	Ex.: Le neveu a eu une idée lumineuse.	Ex.: Il s'est déguisé en agneau et s'est caché dans le troupeau pour choisir son repas.	Ex.: Le berger a choisi le plus gros animal pour nourrir sa famille.	Ex.: L'animal tué par le fermier n'est pas un agneau mais le loup.

RÉFLÉCHIS... Quand tu liras d'autres contes, quelles stratégies te seront utiles?

Les affreux petits gloutons

par Francis Asselin-Trudel

STRATÉGIES DE LECTURE

- Utilise tes connaissances.
- Fais des inférences.
- Visualise.
- Interprète des figures de style.
- Résume l'information.

Par un bel après-midi d'automne, je tricotais une écharpe de laine moelleuse pour les longs jours d'hiver à venir.

Le ronronnement de mon gros chat noir à mes pieds et l'odeur piquante du gâteau à la cannelle qui dorait au four m'invitaient à un sommeil paisible, lorsque soudain...

Trois petits coups à la porte m'ont fait sursauter.

J'ai ouvert avec précaution, car j'avais entendu parler d'un méchant loup qui s'attaquait aux vieilles grands-mères dans le quartier. Devant moi, un garçon et une fillette, aux cheveux blonds comme de l'or, se tenaient sur le porche.

— Mais que faites-vous là ? leur ai-je demandé.

— Nos parents nous ont abandonnés dans la forêt voilà deux jours. Nous sommes affamés comme des loups, a répondu le garçon d'un ton nasillard. Je suis Hänsel, et voici ma sœur Gretel !

Je n'avais pas l'habitude d'inviter des étrangers dans ma maison, mais n'écoutant que mon cœur tendre comme du bon sucre à la crème, je les ai priés d'entrer. Encore aujourd'hui, je regrette ce geste...

Les deux petits enfants étaient à peine déchaussés qu'ils saccageaient tout ce qui se trouvait à leur portée !

— Je veux un soufflé à la mélasse, mémé ! a hurlé Hänsel en tirant les oreilles de mon chat.

— Je veux une tarte aux pommes, mémé ! a crié Gretel en défaisant les mailles de mon tricot.

Tant bien que mal, j'essayais de suivre le rythme affolant de leurs demandes, mais lorsque je déposais devant eux le plat exigé, ils le dévoraient à toute allure et jetaient leur assiette par terre.

— C'est trop chaud, mémé ! hurlait Gretel en grimaçant.

— C'est trop sucré, mémé ! tempêtait Hänsel après avoir lancé sa fourchette sur la table.

Le visage couvert de farine, les mains engourdies d'avoir pétri autant de pâte, je désespérais quand une idée m'est venue à l'esprit.

— Vous savez, les enfants, ai-je dit d'un ton affectueux, non loin d'ici habite une femme dont la maison est faite... de bonbons !

Étonnés, ils ont levé la tête de leur assiette, leurs joues roses gonflées de nourriture.

— Elle nous laisserait manger les murs de nougat ? a demandé Hänsel.

— Et elle nous laisserait manger les poutres de biscuits ? a questionné Gretel.

— Mais bien sûr, voyons. Elle adore les petits enfants gentils comme vous. Surtout lorsqu'ils ont un aussi bon appétit.

Après s'être consultés d'un regard triomphant, ils se sont précipités par la porte et ont disparu dans la forêt.

J'ai aussitôt verrouillé la porte à double tour et poussé un long soupir. Enfin, le calme était revenu. Même mon chat semblait sourire.

Parfois, il m'arrive encore de penser à ces deux affreux petits gloutons, dont personne n'a entendu parler depuis…

La barbe de l'Ogre

par Francis Asselin-Trudel

STRATÉGIES DE LECTURE

- Utilise tes connaissances.
- Fais des inférences.
- Visualise.
- Interprète des figures de style.
- Résume l'information.

C'était à l'époque où l'on m'appelait encore Barbe Noire.

En ce temps-là, j'étais un jeune ogre. Les gens avaient peur de moi et ils me respectaient. C'était la belle vie. J'habitais un énorme château. Ma barbe était longue, lisse et noire comme le jais. Cependant, je n'en étais jamais satisfait. Je voulais une barbe aussi effrayante qu'une mer en colère !

Chaque jour, les meilleurs barbiers et coiffeurs du royaume défilaient devant moi pour entretenir ma barbe au péril de leur vie. Lorsqu'ils terminaient leur œuvre et me tendaient un miroir d'une main tremblotante, je rugissais de colère et les dévorais d'une seule bouchée !

— JE VEUX UNE BARBE AUSSI EFFRAYANTE QU'UNE MER EN COLÈRE ! hurlais-je après avoir fait un rot retentissant.

Je venais de gober un malheureux qui avait cru bon friser ma moustache, lorsqu'une jeune fille toute menue et d'une beauté frappante m'a interpellé de sa voix tendre :

— Monsieur l'Ogre, je vous fais une proposition. Je donnerai à votre barbe une allure aussi effrayante que la mer et, en échange, vous cesserez de terroriser notre royaume.

J'ai éclaté d'un rire plus puissant que le tonnerre et, me penchant vers elle, j'ai grondé :

— Toi qui pourrais te noyer dans ma barbe, tu crois vraiment réussir là où tous ont échoué ?

Sans broncher, elle a hoché la tête avec assurance en signe d'approbation.

— D'accord, je veux bien te laisser essayer, ai-je continué, mais si tu échoues à cette tâche, je ferai de toi mon épouse !

Un sourire mystérieux flottait sur le visage de la jeune fille.

— Fermez vos yeux, m'a-t-elle ordonné. Je ne veux pas être distraite par votre regard froid. Lorsque vous les rouvrirez, votre barbe sera comme une mer en colère.

Amusé, j'ai obéi. « Décidément, cette jeune femme fera toute une épouse », ai-je pensé alors que ses mains s'affairaient à peigner ma barbe.

Après un bon moment, la jeune fille a claqué des doigts. Elle tenait un miroir devant mon visage.

— Quelle horreur ! Qu'as-tu fait à ma barbe ? ai-je hurlé. Ma barbe, qui était lisse et d'un superbe noir de jais, est devenue tumultueuse et d'un bleu affreux, comme… comme…

— Comme une mer en colère, monsieur l'Ogre, a-t-elle ajouté, une pointe d'ironie dans la voix. Vous aurez beau frotter fort et longtemps, elle restera toujours ainsi, car c'est une teinture enchantée !

À la vue du pinceau humide que la jeune fille avait à la main, je me suis rendu compte du piège qu'elle m'avait tendu.

Furieux et humilié, j'ai quitté le royaume en trois enjambées.

Aujourd'hui, partout où je vais, on m'appelle Barbe Bleue…

Le grand malentendu

par Francis Asselin-Trudel

STRATÉGIES DE LECTURE

- Utilise tes connaissances.
- Fais des inférences.
- Visualise.
- Interprète des figures de style.
- Résume l'information.

Après plus de 300 jours à bûcher en pleine forêt, je retournais enfin chez moi pour terminer mes vieux jours auprès de mon épouse.

En cours de route, je me suis arrêté aux abords d'un étang pour me rafraîchir. Penché au-dessus de l'eau claire, je dévisageais un drôle de reflet. Une barbe épaisse avait envahi mon visage comme des vignes grimpantes. Mes sourcils broussailleux ombrageaient mon regard, et du poil jaillissait en touffes drues de mon nez et de mes oreilles. Je ressemblais à une véritable bête velue ! On aurait dit un loup !

Enfin, après plus de 300 jours sans se raser…, c'est normal !

Soudain, une voix claire m'a arraché à ma contemplation. À pas de loup, je me suis dirigé vers l'origine de ce bruit. Derrière les buissons, j'ai aperçu une petite fille, vêtue d'une cape de velours rouge, qui cueillait des champignons. C'était ma petite-fille, mon Petit Chaperon rouge !

— Bonjour, ma belle enfant ! Où vas-tu comme ça ? ai-je dit d'une voix rocailleuse, bien malgré moi.

Enfin, après plus de 300 jours sans parler…, c'est normal !

Le Petit Chaperon rouge a sursauté et a reculé de quelques pas en serrant son panier d'osier contre elle. Elle ne semblait pas reconnaître son grand-père.

— Je… je vais chez ma grand-mère lui apporter des galettes, a-t-elle répondu, d'une voix tremblotante. C'est pour l'aider à guérir…

Mon cœur s'est affolé. Ma femme adorée, Gratulde, malade ?

Aussitôt, je me suis dirigé à grandes enjambées vers notre maison. Je savais bien que je n'avais qu'à tirer la chevillette pour faire choir la bobinette et entrer dans la demeure, mais je ne voulais pas lui causer de frayeur.

J'ai donc frappé à la porte. Pas de réponse. J'ai ouvert et je suis allé à la chambre de ma chère Gratulde. Elle n'y était pas.

En attendant son retour, je me suis couché dans notre grand lit et j'ai tiré les draps jusqu'à mon cou, épuisé par tout ce chemin parcouru.

Enfin, après plus de 300 jours sans repos…, c'est normal !

Au même moment, le Petit Chaperon rouge a frappé à la porte.

— Entre, mon enfant, ai-je dit.

— Mais quelle grosse voix ! s'est-elle étonnée.

Cette fois, elle semblait m'avoir reconnu. Enfin, c'est ce que je croyais…

— C'est pour mieux t'accueillir, voyons !

— Mais quelle grande bouche tu as !

— C'est pour mieux te dévorer, voyons ! ai-je blagué en bondissant hors du lit pour la chatouiller…

Alors, le Petit Chaperon rouge a hurlé quelque chose comme : « Au loup ! Au loup ! » et a déguerpi avant que je ne puisse l'arrêter.

J'ai compris que mon apparence était la cause de ce grand malentendu.

Enfin, après plus de 300 jours dans les bois…, c'était à prévoir !

Je me suis donc rasé en vitesse.

Quelques instants plus tard, Gratulde, qui était sortie cueillir des fraises, a ramené le Petit Chaperon rouge à la maison. Je me suis précipité pour les accueillir. Une fois la joie des retrouvailles passée, le Petit Chaperon rouge a recommencé à trembler.

— Il y avait un grand méchant loup dans le lit, Grand-père, et il voulait me dévorer ! a-t-elle gémi.

Pour l'apaiser, je lui ai assuré que ce grand méchant loup avait pris la fuite à la vue de ma hache de bûcheron.

— Oh ! merci, Grand-père ! s'est-elle exclamée en se jetant dans mes bras.

Tout finissait bien.

Le château endormi

par Francis Asselin-Trudel

STRATÉGIES DE LECTURE

- Utilise tes connaissances.
- Fais des inférences.
- Visualise.
- Interprète des figures de style.
- Résume l'information.

Il était une fois un vieux château entouré de mystères et de légendes aussi denses que la muraille de ronces qui l'isolait.

J'en entendais souvent parler autour de la table de mon père, le roi. On racontait que même les plus courageux chevaliers n'avaient jamais osé approcher l'étrange domaine depuis 100 ans et qu'un ogre horrible y vivait avec son dangereux dragon.

Un jour, alors que je dormais sous un arbre, une fée est venue dans mes songes.

— Prince, écoute bien ceci. Tu dois te rendre au château des Ronces. Je ne peux te révéler ce que tu y trouveras, mais c'est ton destin. Embrasse-le.

À mon réveil, elle avait disparu. J'ai fait part de cette étrange visite à mon père. Son visage s'est assombri. Il est resté muet quelques instants, puis m'a dit :

— Tu es mon fils unique, et je mourrais de chagrin s'il t'arrivait quoi que ce soit, mais tu as été désigné pour accomplir quelque chose de grandiose. Va, sois prudent et reviens vite.

J'ai donc enfilé une armure étincelante et je suis parti au grand galop sur la meilleure monture du royaume.

Au cours de mon voyage, j'ai traversé d'étranges contrées et vu d'étranges personnages, dont un joueur de flûte suivi d'une longue procession d'enfants, un chat botté qui m'a invité à rencontrer l'obscur marquis de Carabas, et même un drôle de pantin qui m'a indiqué le chemin à suivre et dont le nez s'est aussitôt allongé.

Par chance, je n'ai pas suivi ses indications, car je me serais perdu !

Après un long périple, j'ai atteint le mystérieux château. La muraille de ronces et d'épines paraissait infranchissable. Bien triste d'avoir parcouru tout ce chemin pour me buter à une barrière de plantes, j'allais faire demi-tour, lorsqu'à ma grande surprise, elle s'est écartée pour me laisser passer.

L'épée à la main, j'ai pénétré dans l'enceinte du château. Tout était silencieux. Trop silencieux. J'ai tendu l'oreille, et j'ai perçu un son, comme un... ronflement !

Dans la salle principale, des corps endormis jonchaient le sol, d'autres étaient affalés sur leur chaise, et seul le bruit subtil de leur respiration les distinguait de cadavres.

Avec précaution, j'ai fait mon chemin parmi les dormeurs jusqu'à la plus haute tour. Deux gardes ronflaient devant une porte de bois massif.

J'ai ouvert, doucement.

Sur un lit brodé d'or et d'argent dormait la plus belle des princesses. Saisi d'une émotion indescriptible, je me suis approché et j'ai déposé un doux baiser sur ses lèvres.

Comme par magie, elle s'est éveillée.

— Oh, merci, mon Prince, a-t-elle murmuré. Seul votre baiser pouvait me délivrer du mauvais sort de la fée Carabosse.

Toute la cour a aussi émergé de ce sommeil magique, et nous avons tenu un immense banquet, car les gens étaient affamés.

Aujourd'hui, nous vivons heureux comme roi et reine. En souvenir de cette aventure, tout le royaume fait une sieste après le repas.

Le trésor et le petit magicien

par Francis Asselin-Trudel

STRATÉGIES DE LECTURE

- Utilise tes connaissances.
- Fais des inférences.
- Visualise.
- Interprète des figures de style.
- Résume l'information.

L'histoire que je vais vous raconter est aussi vraie que je m'appelle Rumplelstilzchen. Et gare à celui ou à celle qui oserait me traiter de menteur!

Pour la première fois de ma longue vie de magicien, je m'étais fait duper. J'avais transformé un immense tas de paille en or pour une reine. En échange, elle avait promis de me donner son premier-né, mais elle s'est libérée de notre accord en devinant mon nom imprononçable.

Furieux, j'ai trépigné au sol avec une telle violence que le plancher a cédé sous mes pieds. Trente-trois étages plus bas, je me retrouvais tout poussiéreux, et, surtout, sans mon dû.

Lentement, je me suis relevé en grognant et j'ai inspecté les lieux. Il faisait très sombre, mais un faible rayon de lumière éclairait un coffre rempli de joyaux et de pierres précieuses. Fou de joie, je plongeais mes mains dans ce tas de richesses, quand une voix fatiguée m'a arrêté tout sec.

— Je ne ferais pas cela, si j'étais toi, a murmuré quelqu'un derrière moi.

— Qui est-ce? Montrez-vous! ai-je rétorqué, prêt à tout.

Un jeune homme d'allure noble s'est avancé sous la lumière.

— Je m'appelle Léo, et je croupis ici depuis des années.

— Pourquoi donc? ai-je demandé, toujours sur mes gardes.

— La reine et moi sommes amoureux, a-t-il répondu, et nous voulions nous enfuir loin de ce roi cruel qui force ma douce à transformer la paille en or. Quand il a été averti de notre projet, il m'a jeté ici.

J'ai éclaté d'un rire sonore.

— Me croirais-tu si je te disais que c'est moi qui ai changé cette paille en or?

— Allons donc, tu n'es qu'un petit homme..., a-t-il dit, en riant.

— Comment oses-tu? ai-je fulminé. Tu t'adresses au célèbre magicien au nom imprononçable!

— Mais alors, use de tes pouvoirs pour nous sortir d'ici! s'est-il exclamé.

— Je vais plutôt prendre ce trésor et te laisser ici, ai-je rétorqué.

— Je te le répète, je ne ferais pas cela si j'étais toi... Ce trésor est malchanceux, mais JE peux lever sa malédiction, a-t-il dit calmement.

J'étais plutôt inquiet au sujet de cette mystérieuse malédiction… Et s'il disait vrai ? Je ne voulais pas laisser un butin aussi incroyable derrière moi, et encore moins le partager…

— Faisons un marché, ai-je proposé. Si tu parviens à deviner mon nom du premier coup, je te fais sortir avec ton trésor, et tu pourras ainsi reconquérir ta reine. Mais si tu échoues, tu devras lever la malédiction, et j'apporterai le trésor avec moi.

Il m'a observé en silence, souriant d'un air malicieux.

— Tu n'es qu'un petit homme sans pouvoirs, s'est-il moqué.

— Je ne suis pas qu'un petit homme ! ai-je hurlé sur une note aiguë. Je suis le magicien au nom imprononçable, aussi vrai que je m'appelle Rumplelstilzchen !

Son sourire s'est alors élargi.

J'ai eu beau trépigner de toutes mes forces, mais contraint par le serment des petits hommes magiciens, j'ai dû respecter ma promesse.

Une fois hors du cachot, il m'a regardé, son trésor sous le bras.

— Ce n'est pas de la malédiction que tu aurais dû te méfier, car elle était fausse, mais bien de ton avidité. Au revoir, Rumplelstilzchen !

Je crois que lui et sa reine sont devenus souverains d'un lointain royaume, et moi, je suis un magicien au nom imprononçable qui a bien appris sa leçon.

LE MÉDECIN DES INSECTES

par John Dessler et Lawrence Phillis

SITUATION : Un médecin des insectes, lui-même insecte, traite un groupe **excentrique** de bestioles.

PERSONNAGES : **Infirmière.** Un insecte **indéfinissable**. Laissez libre cours à votre imagination.

Louis la sauterelle. Une sauterelle qui a des ennuis avec ses yeux.

Docteur Cabosse. Un insecte indéfinissable.

Hélène la phalène. Un papillon de nuit qui souffre de **migraines**.

Camille la chenille. Une chenille qui s'apprête à vivre de grands changements.

Gaston le bourdon. Le pollinisateur qui se prend pour Terminator.

ACCESSOIRES : Appareil à rayons X, lunettes, radiographie d'Hélène la phalène, lampe de lecture pour la radiographie et échelle d'acuité visuelle pour les insectes.

COSTUMES : Un pour chaque insecte.

SCÈNE : La salle d'examen d'un bureau de médecin. L'infirmière fait entrer la sauterelle.

Prépare-toi !

- Fais des liens. Quelle est ta réaction lorsque tu vois des insectes ?
- Utilise tes connaissances. En quoi tes connaissances au sujet des insectes pourraient-elles t'aider à comprendre ce texte ?

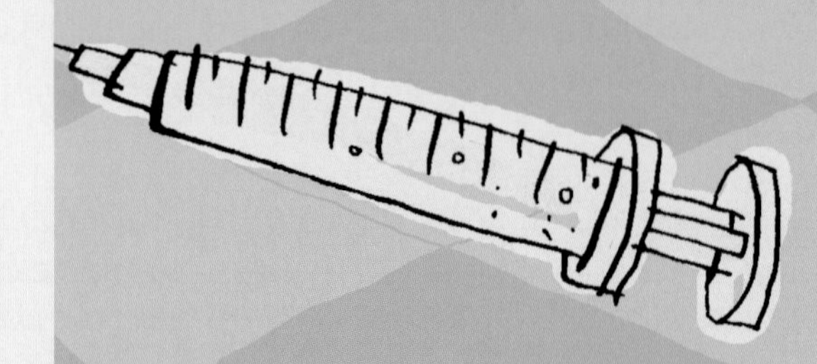

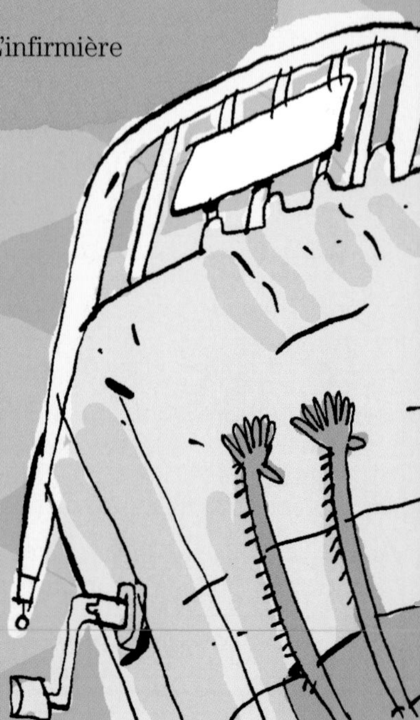

Infirmière : Veuillez vous asseoir. Le docteur Cabosse sera là dans un instant.

Louis : D'accord. *(L'infirmière sort. La sauterelle commence à manger ce qui l'entoure. Le docteur entre.)*

Docteur : Désolé du retard. Mademoiselle Mille-pattes s'est fait écraser.

Louis : Comment va-t-elle ? S'en sortira-t-elle ?

Docteur : Oui, ça va aller. Elle a seulement quelques pattes fracturées. Quatre cent douze. Holà, Louis, qu'est-ce que je t'ai dit à propos de t'empiffrer comme ça ?

Louis : Je ne peux pas m'en empêcher, docteur. Juste quand je crois y parvenir, les copains arrivent et nous décidons d'aller manger une bouchée. Avant même de m'en rendre compte, nous avons dévoré deux ou trois récoltes.

Docteur : Je comprends, Louis, mais regarde un peu ton thorax.

Louis : Qu'est-ce que je peux y faire, docteur ? Ce n'est pas simplement une question d'appétit, c'est la pression exercée par les **chrysalides**. *(Ton moqueur pour s'adresser à ses amis.)* « Désolé, les gars, je vais me contenter de quelques brins d'herbe et de deux ou trois pousses. » Que vont penser mes collègues ? J'ai une image à préserver.

Docteur : Pourtant, cela nuit à ta santé, Louis. Voyons voir. Peux-tu ouvrir bien grand tes mandibules ? *(La sauterelle ouvre la bouche.)* Plus grand… Encore plus grand… Voilà. Ça semble beau. Et maintenant, tes yeux. Regarde ce tableau et lis la première ligne pour moi. *(Le docteur lui couvre un œil.)*

Louis : E, e, e, e, e, e, e, e, e, e.

Docteur : Excellent. Tu as une vision de 20/20/20/20/20/20/20 dans ces yeux. Maintenant, les autres yeux. Lis la deuxième ligne.

Louis : V, v, v, v, v, v, v.

Docteur : Oh ! On dirait que tu vas avoir besoin de lunettes, Louis.

Louis : Ah non ! C'est pas vrai ! Je vais avoir l'air idiot.

Docteur : Mais non. Nous avons de très jolies montures. Regarde, essaye ça !

Louis : Merveilleux, maintenant tout le monde dans l'essaim va se moquer de moi.

Excentrique : qui est original.

Indéfinissable : qui n'a pas de caractéristique distinctive.

Migraine : gros mal de tête.

Chrysalide : période de dormance de l'insecte entre la larve et l'adulte.

Docteur: Tu pourrais plutôt porter des lentilles cornéennes.
Louis: Ce serait super.
Docteur: Je dois les commander. Tu pourrais utiliser ces lunettes en attendant.
Louis: Combien de temps vais-je devoir attendre ?
Docteur: Voyons voir. Deux cents lentilles, il faut compter environ sept jours. D'ici là, surveille tes fringales.
Louis: D'accord. *(La sauterelle sort. L'infirmière entre.)*
Infirmière: Hélène la phalène se plaint de migraines.
Docteur: Faites-la entrer. *(L'infirmière sort. La phalène entre.)* Bonjour, Hélène.
Hélène: Bonjour, docteur.
Docteur: Encore vos migraines ?
Hélène: C'est pire que jamais.
Docteur: Le médicament ne vous aide pas ?
Hélène: Au début, oui. Puis, sans prévenir…, bang…, la migraine reprend de plus belle.
Docteur: Je vois. Infirmière ? *(L'infirmière entre.)*
Infirmière: Oui, docteur ?
Docteur: J'aimerais faire une radiographie du crâne d'Hélène. *(Le docteur et l'infirmière font la radiographie. Le docteur suspend la radiographie.)* Voyons voir. *(Le docteur allume la lampe pour lire la radiographie. Hélène se précipite sur la lumière et se cogne la tête à répétition.)* Hélène, je pense que j'ai trouvé le problème. *(Le docteur lui donne une paire de lunettes.)* Portez cela pendant quelque temps et j'ai l'impression que vos migraines vont disparaître.
Hélène: Merci, docteur. *(La phalène sort.)*
Docteur: Qui avons-nous ensuite, infirmière ?
Infirmière: Mme Chenille.
Docteur: Faites-la entrer. *(L'infirmière sort. Camille entre.)* Quel est le problème aujourd'hui, Camille ?
Camille: Je ne me porte pas très bien. *(Le docteur examine la chenille.)* Je me sens léthargique depuis quelque temps. Ce matin, je rampais sans but quand je suis tombée d'une branche, directement sur mon antenne.
Docteur: Je vois. *(Le docteur commence à emmailloter l'antenne.)* Infirmière ? *(L'infirmière entre.)* Voulez-vous finir d'emmailloter cette antenne et faire

entrer le patient suivant ? *(L'infirmière et la chenille sortent. Un bourdon entre en titubant et en éternuant.)* Ça ne va pas, M. Gaston ?

Gaston : *(En éternuant.)* Je n'arrête pas d'éternuer.

Docteur : Je vois. *(Le docteur l'examine.)* Puis-je vous demander ce que vous faites dans la vie ?

Gaston : Je suis pollinisateur.

Docteur : Mmm. Avez-vous déjà pensé changer de métier ?

Gaston : Non.

Docteur : J'ai bien peur que vous soyez allergique au pollen.

Gaston : Aïe, ça pique !

Docteur : C'est cela ou une tumeur.

Gaston : Ce n'est pas une tumeur.

Docteur : Vous avez sans doute raison. Je vais vous injecter une dose d'antiallergique. Où la voulez-vous ? Le bras ou... ? *(Le docteur fait un geste vers le derrière du bourdon.)*

Gaston : Ma patte. Prenez ma patte. *(Le docteur injecte le produit. Le bourdon respire un grand coup.)* Ah, je peux enfin respirer !

Docteur : L'effet va durer une semaine. Pouvez-vous revenir mardi prochain ?

Gaston : Bien sûr. À la prochaine, bizzzzzzzz. *(Le bourdon sort. L'infirmière entre avec un cocon.)*

Docteur : Infirmière ! J'avais dit l'antenne.

Infirmière : Oh ! *(Camille émerge sous forme de papillon et s'envole.)*

Docteur : Quelle chose étrange ! Il reste des patients ?

Infirmière : Non, docteur.

Docteur : Bon, je vais aller prendre une bouchée en vitesse. Je reviens. *(Le docteur s'envole et sort.)*

Source : Traduction libre. John DESSLER et Lawrence PHILLIS, « The Bug Doctor », *Sketch-o-Frenia*.

Réagis au texte.

1. Fais une liste des figures de style que tu peux trouver dans cette pièce de théâtre. Compare ta liste avec celle d'un ou d'une camarade.

2. Les auteurs ont choisi une visite chez le médecin comme sujet de leur pièce de théâtre. Quelles autres situations feraient un bon contexte pour une pièce de théâtre ? Choisis-en deux et explique ton choix à un ou à une camarade.

Enrichis ton vocabulaire.

3. Les scientifiques appellent notre tendance à considérer les animaux comme des êtres humains l'*anthropomorphisme*. Le mot est composé de trois racines latines : *anthropo*, qui signifie « humain », *morph*, qui signifie « changement » ou « transformation », et *isme*, qui signifie « attitude devant » ou « manière de penser ». Utilise cette information pour écrire ta propre définition du mot *anthropomorphisme*. Connais-tu d'autres mots qui ont les mêmes racines ? Lesquels ?

COFFRE À OUTILS
ÉCRITURE

- Observe le texte. En quoi une pièce de théâtre est-elle différente d'une histoire ? À quoi servent les indications des metteurs en scène ?
- Travaille avec un ou une camarade. Écrivez un dialogue entre des animaux. Le dialogue doit contenir des éléments qui caractérisent à la fois le comportement type d'un animal et celui des êtres humains. Exercez-vous à lire votre dialogue et présentez-le à la classe.

Écrire un conte

Vijay a écrit un conte pour divertir ses amis. Observe son travail.

Sujet	*Un fermier et une fermière qui réalisent leur rêve de devenir riche*
Intention	*Divertir*
Public cible	*Mes camarades de classe*
Forme du texte	*Conte*

La structure du texte

Mon texte comprend une introduction, un développement et une conclusion.

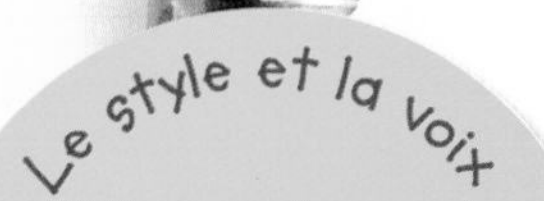

Le style et la voix

J'ai capté et maintenu l'attention de mes lecteurs et lectrices.

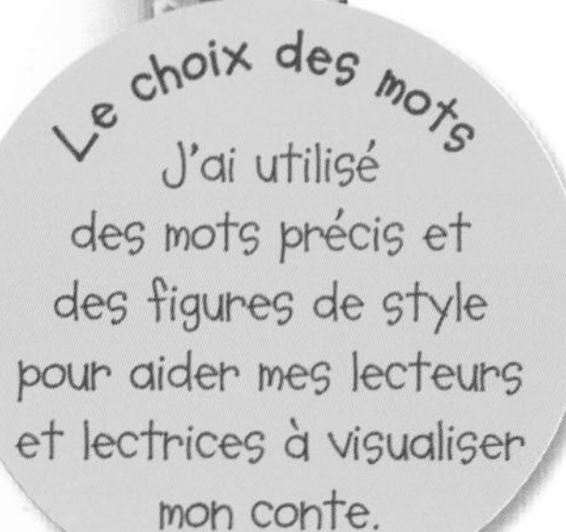

Le choix des mots

J'ai utilisé des mots précis et des figures de style pour aider mes lecteurs et lectrices à visualiser mon conte.

L'oie aux œufs d'or

par Vijay Kumar

Un beau matin, je rêvais comme d'habitude de posséder un magnifique troupeau de vaches et de devenir riche, quand j'ai entendu Vanessa crier.

– Hugo ! Regarde ce que j'ai trouvé ! C'est la plus belle surprise de ma vie !

Je me suis retourné vers mon épouse. Je ne pouvais pas en croire mes yeux. Elle tenait notre magnifique oie sous le bras droit et un énorme œuf d'or dans la main gauche. L'œuf était gros et brillant. Vanessa était folle de joie !

– Mais non, tu ne rêves pas ! m'a dit Vanessa.

– Notre oie a vraiment pondu cet œuf? lui ai-je demandé.

– Ah que oui, Hugo ! a répondu Vanessa.

J'avais entendu dire qu'une poule d'un village voisin en avait pondu des dizaines de ce genre... Mais, à mon avis, ces histoires étaient de pures inventions et n'étaient bonnes que pour les belles plumes.

– Et, si elle pond un œuf d'or chaque jour, nous finirons par être très riches. Alors, il faut prendre grand soin d'elle, a continué Vanessa.

Nous avons donc installé notre précieuse oie dans un coin de la cuisine, bien au chaud. Je lui ai fait un lit de paille fraîche et Vanessa lui a donné les meilleurs grains du grainier.

Chaque nuit, notre oie pondait un œuf d'or aussi parfait que le premier. Après quelques semaines, j'ai pu acheter quelques vaches, mais je souhaitais devenir encore plus riche... et vite.

– C'est bien long, ai-je dit à Vanessa. Pourquoi attendre si longtemps?

Aussitôt dit, aussitôt fait. J'ai tué l'oie et je lui ai ouvert le ventre.

– Qu'est-ce que tu as fait, Hugo? a crié Vanessa.

Pauvre moi... Si seulement j'avais eu la patience d'attendre ! Maintenant, je comprends que la patience vaut vraiment son pesant d'or.

POUR T'AIDER...

- Fais un remue-méninges pour trouver des idées.
- Écris un paragraphe pour chaque idée principale.
- Assure-toi que tes idées sont clairement présentées, que ton texte est bien structuré, que tes phrases sont bien construites et que le vocabulaire est approprié.
- Utilise des figures de style pour aider tes destinataires à visualiser ton texte.
- Fais relire ton texte pour obtenir des commentaires.
- Vérifie les éléments d'écriture et apporte les améliorations nécessaires à ton texte.

Écris un conte.

À ton tour d'écrire un conte.

Pour t'aider, pose-toi les questions suivantes :

- Quel sera le sujet de mon conte ?
- Qui lira mon conte ?
- À quelle époque se déroulera l'histoire ?
- Qui seront les personnages principaux et secondaires ?
- Quelles seront leurs caractéristiques ?
- Est-ce qu'il y aura des dialogues ?
- Quels marqueurs de relation vais-je utiliser ?

Fais le plan de ton conte à l'aide du tableau suivant.

Situation de départ (Quel est le contexte : les personnages, leurs caractéristiques, où, quand ?)	**Élément déclencheur** (Quel événement vient changer la situation de départ ?)	**Péripéties** (Quels sont les principaux événements qui surviennent à la suite de ce changement ?)	**Dénouement** (Que se produit-il après ces événements ?)	**Situation finale** (Comment l'histoire se termine-t-elle ?)
Hugo rêve de devenir riche.	Sa femme Vanessa trouve une magnifique oie qui pond des œufs d'or.	L'oie pond un œuf d'or par jour. Hugo et Vanessa prennent bien soin de l'oie. Hugo peut acheter quelques vaches.	Hugo veut devenir encore plus riche.	Hugo tue l'oie et ouvre son ventre. Maintenant il ne sera jamais riche.

RÉFLÉCHIS...

- Quels critères pourrais-tu utiliser pour évaluer ton conte ? Notes-en trois et évalue ton texte à l'aide de ces critères.
- Quel aspect a été le plus réussi ?
- Quel aspect devras-tu améliorer ?

Page blanche

par François Gravel

Il était une fois une page blanche qui mangeait des mots.
Elle les avalait, puis recrachait les moins beaux.
Quels étaient ces mots que la page trouvait moins beaux ?
Vous les connaissez déjà, mais je vais les répéter.

Il était une fois une page blanche qui mangeait des mots.
Elle les avalait, puis recrachait les moins beaux.
Quels étaient ces mots que la page trouvait moins beaux ?
Je ne vais quand même pas encore les répéter !

Source : François GRAVEL, *Voyage en Amnésie et autres poèmes débiles*, Montréal, Les 400 coups, 2005, p. 34.

Prépare-toi !

- Fais des liens. Comment un poème peut-il faire réagir ? Quel genre de poèmes préfères-tu ? Pourquoi ? T'est-il déjà arrivé de lire un poème et de trouver des ressemblances entre les émotions qu'il véhiculait et des émotions que tu avais déjà ressenties ?
- Fais des prédictions. Que peut représenter une page blanche pour un auteur ou une auteure ?

À quoi ça sert, un poème ?

par Henriette Major

À quoi ça sert, un poème ?
Ça sert à jouer des mots
comme on joue de la guitare,
de la flûte ou du piano.
Ça sert à faire savoir
qu'on est gai ou qu'on est triste,
ou bien d'humeur fantaisiste.

Ça remplace quelques larmes,
ça fait rire ou ça désarme.
Ça sert à parler de soi,
ou bien de n'importe quoi.
C'est un voyage intérieur,
un moyen d'ouvrir son cœur.

À quoi ça sert, un poème ?
Au fond, ça ne sert à rien,
mais ça rend la vie plus belle,
comme un tour de magicien,
un sourire, un arc-en-ciel.

À quoi ça sert, un poème ?
Ça sert à dire «Je t'aime».

Source : Henriette MAJOR, *J'aime les poèmes*, Montréal, Hurtubise HMH, 2002, p. 6.

Réagis au texte.

1. Qu'as-tu ressenti en lisant ces poèmes ? Discute de ta réponse avec un ou une camarade.
2. Dans le poème *À quoi ça sert, un poème ?*, relève cinq utilités d'un poème. Formule deux autres utilités que pourrait avoir un poème. Fais un dessin qui pourrait accompagner ce poème.

Enrichis ton vocabulaire.

3. En quoi le choix de mots est-il important dans un poème ? Dans chaque poème présenté, dégage deux mots ou passages significatifs. Explique pourquoi le choix de ces mots a été important dans ces poèmes.

COFFRE À OUTILS COMMUNICATION ORALE

En groupe-classe, organisez une journée de poésie au cours de laquelle chaque élève présentera un poème de son choix. Choisis le poème que tu liras ou réciteras. Lis-le plusieurs fois pour trouver l'intonation qui convient. Si tu le désires, accompagne ta présentation de musique ou d'une illustration. Ensemble, déterminez l'ordre dans lequel vous présenterez vos poèmes.

Présenter un monologue

Un monologue est un discours prononcé par une seule personne. Les artistes ont parfois recours au monologue pour raconter des histoires drôles ou tristes sur leur propre vie, sur celle de gens célèbres ou sur des événements de l'actualité. Les monologues servent à faire réagir.

Présenter un monologue

Dans un monologue, on utilise l'humour et l'ironie pour révéler le côté comique d'une expérience ou d'un événement.

Démarche

- Choisis un sujet ou une expérience que tu as vécue et qui est susceptible d'intéresser ton public.
- Détermine le style de monologue. Par exemple, joueras-tu un personnage ou resteras-tu toi-même?
- Commence ton monologue par une phrase qui donnera au public une idée du sujet que tu veux aborder. Par exemple: «Tout a commencé quand j'ai accepté de garder mon neveu.»
- Pense aux parties de ton texte qui devraient provoquer le rire durant ton monologue. Fais des pauses avant de dire ces parties, de sorte que le public s'attende à une phrase vraiment drôle. Fais une pause aussi après, pour laisser aux gens le temps de rire!
- Utilise un ton expressif pour donner vie aux mots et au personnage.
- Choisis une fin qui fera rire ou sourire ton public.

POUR T'AIDER...

- Note sur des fiches les points importants du monologue.
- Exerce-toi devant un miroir pour afficher les bonnes expressions faciales.
- N'hésite pas à intégrer des jeux de mots à ton monologue.

PASSE À L'ACTION !

Prépare un monologue sur une expérience intéressante ou drôle ou encore sur un sujet de ton choix. Présente ton monologue comme si tu réfléchissais à voix haute.

RÉFLÉCHIS...

- Comment as-tu procédé pour rendre ton monologue captivant du début à la fin ?
- Comment as-tu rendu ton personnage intéressant ?
- Que ferais-tu différemment la prochaine fois ?

Un festival juste pour rire !

par Pascal Grégoire

Prépare-toi !

- Fais des liens. As-tu déjà assisté ou participé à un spectacle d'humour ? À ton avis, quels sont les bienfaits du rire ? Qui sont tes humoristes préférés ?
- Utilise tes connaissances. Connais-tu le Festival Juste pour rire ? Est-ce qu'une critique pourrait t'inciter à assister à ce festival ? Comment ?

Quand as-tu ri pour la première fois ? Réfléchis sérieusement. Tu ne te rappelles pas ? C'est normal, car tu as commencé à rire à trois mois. À quatre ans, tu avais fait d'incroyables progrès. Tu pouvais rire jusqu'à 500 fois par jour ! Quand on pense que les adultes ne rient pas plus de 15 fois par jour en moyenne, il y a de quoi pleurer.

Quand tu ris aux éclats, tu mets en branle une quinzaine de muscles de ton visage. Tes lèvres s'étirent, ton nez se plisse, tes yeux pétillent, tes narines s'élargissent, tes vaisseaux sanguins se dilatent, ta figure rougit. De plus, ta respiration s'accélère, tes épaules tressautent et tes jambes deviennent molles. Comme tu vois, rire, c'est tout un exercice ! Eh bien, cet été, j'ai fait de l'exercice en assistant au Festival Juste pour rire de Montréal.

En 1983, Gilbert Rozon a eu l'idée de créer un festival d'humour qui réunirait des humoristes de différents pays avec des spectateurs et spectatrices qui aiment rire. Le Festival Juste pour rire a alors vu le jour. L'événement, surtout francophone au départ, a vite connu une très grande popularité. En 1985, un équivalent anglophone a été créé. Aujourd'hui, Juste pour rire est

Réagis au texte.

1. Avec un ou une camarade, dresse une liste d'arguments que vous pourriez utiliser pour convaincre les gens trop sérieux des bienfaits du rire.
2. En équipe, formez un cercle et désignez une personne qui se place au centre pour tenter de faire rire les autres par des blagues, des imitations ou des grimaces. Pour gagner, il faut garder son sérieux. Si on rit, on se retire du cercle. La dernière personne qui a su garder son sérieux remporte la victoire et mène à son tour le jeu.

Enrichis ton vocabulaire.

3. Quelles figures de style sont utilisées dans cette critique ? Dresse une liste d'expressions en lien avec le mot *rire*. En quoi ces expressions sont-elles imagées ?

très populaire dans plusieurs villes nord-américaines dont Montréal, Toronto et, plus récemment, Chicago.

Ce festival sait offrir de grands moments de détente et réjouir le cœur des spectateurs et spectatrices. De plus, Juste pour rire produit de nombreuses émissions télévisées dans le monde. Elles sont diffusées dans 140 pays et sur 95 lignes aériennes. La série *Les Gags* connaît un succès sans précédent. On compte à ce jour des millions de téléspectateurs et téléspectatrices, ce qui en fait l'émission d'humour la plus regardée au monde.

Chaque année, de nombreux humoristes participent au Festival Juste pour rire. Cet été, j'ai eu l'occasion de voir François Morency, Stéphane Rousseau et Julie Caron. Des artistes exceptionnels ! Juste pour rire est certainement un événement qui prend son humour au sérieux ! J'ai ri à m'en décrocher les mâchoires. Si vous aussi aimez rire et avoir du plaisir, Juste pour rire est sûrement un événement à ne pas manquer.

COFFRE À OUTILS **MÉDIA**

Certains spécialistes recommandent de rire au moins 30 minutes par jour. Pour rire, on peut assister à un spectacle d'humour ou regarder des humoristes à la télévision ou dans Internet.

- Travaille avec un ou une camarade. Comparez deux humoristes de votre choix. En quoi leur genre d'humour est-il semblable ? En quoi est-il différent ? Que font-ils pour maintenir l'attention de leur auditoire, pour faire rire et pour divertir (ex. : blagues, imitations, monologues, expressions faciales, voix, costumes) ?

Analyser des messages publicitaires

Les publicitaires ont souvent recours à l'humour dans leurs messages pour toucher et amuser leur public cible. Certaines publicités font appel à l'ironie et à l'exagération. L'important est de capter l'attention du public. Observe les deux publicités suivantes.

Quel est le public ciblé par chaque message publicitaire ?

Quelles techniques sont utilisées pour attirer l'attention ?

Quel est le message le plus percutant ?

PASSE À L'ACTION !

Fais preuve d'esprit critique. Avec un ou une camarade, trouve dans les magazines et les journaux cinq messages publicitaires dans lesquels l'humour est utilisé. Préparez une affiche pour présenter les messages trouvés et expliquer en quoi chaque message est humoristique.

Analyser des messages publicitaires

Quelle est l'efficacité des messages publicitaires humoristiques ?

- Déterminez de quel élément du message provient l'humour : des mots, des images ou des deux.
- Identifiez le public cible de chaque message et la technique utilisée (ex. : exagérations, photos humoristiques) pour intéresser ce public.
- Dégagez et expliquez le point de vue exprimé par le message et l'image.
- Évaluez l'efficacité de l'humour pour faire comprendre chaque message.

POUR T'AIDER...

- Demande-toi si les mots et expressions utilisés sont exagérés et évocateurs d'images.
- Cherche dans le texte des slogans ou des mots percutants et accrocheurs qui sont susceptibles d'aider le public à se souvenir du message publicitaire.
- Songe à la réaction que tu as devant cette publicité. Demande-toi qui pourrait s'intéresser à cette publicité.

- Avec une autre équipe, discutez des résultats de votre analyse des messages publicitaires.
- Discutez des messages qui utilisent l'humour avec le plus d'efficacité.

RÉFLÉCHIS...

En quoi le fait de reconnaître les techniques employées a-t-il été utile pour analyser les messages publicitaires ? Justifie ta réponse.

Enlever ou se faire

Prépare-toi !

- Utilise tes connaissances. Quelles caractéristiques ont généralement les personnages dans les histoires drôles ?
- Fais des prédictions. Regarde les illustrations qui accompagnent ce conte. Quelles prédictions peux-tu faire au sujet de l'histoire ? Lis le texte et vérifie tes prédictions.

La princesse Asse Tusse dormait depuis un bon moment lorsqu'elle a entendu des bruits de pas dans le couloir. Elle s'est levée et a entrebâillé la porte de sa chambre. Elle a regardé à sa droite en se frottant les yeux et a vu trois silhouettes qui se déplaçaient dans le noir.

— Qui va là ? a-t-elle demandé.

— Nous cherchons la princesse Asse Tusse, a commencé Sil Lefaut avant d'être interrompu par un coup de coude dans le ventre de la part de Quedu Vent.

— Oui, nous sommes des amis, a ajouté Quedu Vent.

Les deux jumeaux se sont regardés avec étonnement.

— Depuis quand sommes-nous ses amis ? a demandé Puiskil Lefaut.

enlever, là est la question

par Pierre-Luc Lafrance

— Idiot, je disais ça pour l'amadouer, a répliqué Quedu Vent.

— Tu as raison, que je suis bête !

— Cessez de discuter, vous allez finir par réveiller quelqu'un, a dit Asse Tusse. Je suis la princesse et je sais pourquoi vous êtes ici : vous voulez m'enlever.

— Mais pas du tout, a répondu Quedu Vent avant qu'un des deux jumeaux ne puisse ouvrir la bouche. Nous sommes des amis personnels de la princesse et nous venons lui faire une surprise.

— Voyons, ne me racontez pas d'histoire. Je n'ai jamais vu aucun d'entre vous avant aujourd'hui. Mais ne vous en faites pas, je ne vais pas sonner l'alerte. Je passe à ma chambre prendre quelques trucs pour le voyage et je pars avec vous.

— Cessez de jouer à la princesse. C'est évident que vous n'êtes qu'une femme de chambre ou une dame de compagnie.

— Puisque je vous dis...

Les jumeaux se sont approchés de la jeune fille et l'ont observée attentivement.

— Que puis-je faire pour vous prouver que je suis bien celle que je dis ? a demandé Asse Tusse à Quedu Vent.

— Jeune femme, j'en ai assez d'entendre vos sornettes. Je vais vous prouver que vous n'êtes pas la princesse.

Il a sorti un jeu de tarot de son sac à dos et a présenté les cartes à la princesse.

— Prenez une carte, n'importe laquelle. Avec mon don, je vais l'interpréter.

Asse Tusse a promené une main hésitante sur les cartes écornées par le temps. Finalement, elle a opté pour celle la plus à gauche. Elle l'a retirée lentement puis l'a retournée. C'était la carte de l'Impératrice. Quedu Vent s'est penché et a regardé la figure avec attention. Puis, il a relevé la tête, l'air triomphant.

— Voilà, vous avez tiré l'Impératrice à l'envers. Donc, vous n'êtes pas l'Impératrice, mais son contraire.

— Vous faites erreur ! Je crois que la carte est à l'endroit. C'est de votre point de vue qu'elle semble à l'envers.

— Jeune fille, savez-vous lire l'avenir ?

— Non, mais...

— Pas de mais. Si je vous dis que vous n'êtes pas la princesse Asse Tusse, c'est que vous ne l'êtes pas, un point c'est tout. Assez perdu de temps. Dites-moi où se trouve la chambre de la princesse.

Asse Tusse a désigné la chambre derrière elle.

— Merci beaucoup, jeune fille.

Quedu Vent est entré dans la pièce, suivi de ses deux acolytes. Puiskil Lefaut a soulevé le couvre-lit en poussant un « ha ha ! » triomphal.

Il a ouvert grand les yeux et a pris un air dépité en trouvant le lit vide.

— Elle n'est pas là ! a-t-il dit.

— Elle doit pourtant être quelque part, a répliqué Quedu Vent.

Les trois comparses ont regardé partout : sous le lit, dans le placard, derrière les tableaux. Pendant ce temps, Asse Tusse les observait de l'embrasure de la porte. Quedu Vent s'est approché vers elle en roulant les épaules, dans une démarche qui se voulait menaçante, mais qui donnait plutôt le goût de rire.

— Petite démone, tu t'es jouée de nous. Allez, maintenant, parle. Où se trouve la princesse ?

— Mais puisque je vous dis que c'est moi. Regardez les tableaux au mur, ce sont des peintures de moi.

— Tu ne veux pas nous aider, soit ! J'ai d'autres ressources.

Après avoir sorti des osselets de sa poche, Quedu Vent les a laissés tomber sur le sol, puis il s'est penché pour les regarder avec attention. Il a dit quelques « hum hum » avant de se relever. Asse Tusse a regardé aussi, mais n'y a rien vu d'intéressant.

— Vous lisez vraiment dans les osselets ?

— Bien sûr et pour le même prix, je lis les lignes de la main, les feuilles de thé et votre horoscope dans le journal.

— Et que venez-vous de voir ?

— Que la princesse n'est pas ici ! Allez, venez tous avec moi, je sais où se cache Asse Tusse.

Et il est sorti. Les deux frères sont restés sur place. Quedu Vent a ramené son gros nez dans l'embrasure de la porte.

— Idiots, c'est à vous que je m'adressais, venez !

— Ah ! il fallait le dire.

Quedu Vent a secoué la tête et s'est engagé dans le couloir. Les colosses lui ont emboîté le pas, et Asse Tusse a décidé de les suivre aussi. Quedu Vent a marché jusqu'au bout du couloir et s'est arrêté devant une porte.

— Messieurs, vous pouvez la défoncer, elle se trouve ici.

Avant que les deux mastodontes ne s'élancent, Asse Tusse leur a bloqué le chemin.

— Ne faites pas cela. C'est la chambre du roi. Si vous le réveillez, vous n'avez aucune chance de vous en sortir.

Les jumeaux ont regardé Quedu Vent en attendant un ordre de sa part.

— Allons, qui croyez-vous ? Cette jeune femme ou moi ? Si je vous dis que la princesse est là, c'est qu'elle y est.

Les deux frères n'en demandaient pas plus. D'un même mouvement, ils se sont élancés contre la porte qui a volé en éclats. Emportés par leur élan, ils sont tombés dans le lit, entre le roi et la reine. Le roi a rugi de rage. Encore en pyjama, il a pris son épée qui était par terre, à côté du lit, et s'est mis à l'agiter dans tous les sens. La reine a hurlé d'indignation en martelant les jumeaux de ses poings. Elle était toute petite. De jour, elle s'efforçait de le cacher en mettant des linges sous ses vêtements pour paraître ronde et dodue, selon la mode de l'époque, mais là, en robe de nuit, elle ne pouvait user de ces artifices.

— Gardes! Gardes! a crié le roi.

Quedu Vent a mis son bras autour du cou d'Asse Tusse et lui a soufflé à l'oreille:

— Tu savais que c'était la chambre du roi et tu as fait exprès de nous y conduire. Traîtresse, je vais te prendre en otage pour quitter ce château.

Tout en reculant dans le couloir, il a crié à ses comparses:

— Sortez du lit, ce n'est pas le temps de roupiller. Venez, mes dons de clairvoyance vont nous permettre de quitter ces lieux.

Sans poser de questions, les jumeaux se sont levés et sont sortis de la chambre en évitant les coups du monarque qui frappait à l'aveuglette. Puiskil Lefaut s'est retourné vers la reine qui avait remonté son couvre-lit jusqu'à son nez. Il a évité un coup d'épée et s'est penché cérémonieusement.

— Vous avez une charmante demeure, Madame, a-t-il dit avant que Quedu Vent ne le prenne par l'épaule et ne le sorte de la chambre.

Le voyant a mené le petit groupe jusqu'à l'escalier. Puis, il a monté les marches à reculons en maintenant la princesse devant lui comme si elle était un bouclier.

— Que faites-vous là ? a demandé Asse Tusse. La sortie se trouve en bas.

— Tu veux encore nous trahir. Tu sais que des légions de gardes nous attendent à la porte principale. C'est pour ça que je vais passer par le toit. Mes visions me montrent qu'il y a une échelle qui va nous permettre de nous enfuir.

— De quoi parlez-vous ? Vous allez directement au dortoir des gardes.

Quedu Vent a eu un rire mauvais et a continué son chemin. Lorsqu'il a senti une porte derrière lui, il a tendu la main pour l'ouvrir. Pendant ce temps, le roi et la reine, en tenue de nuit, se tenaient au pied de l'escalier et criaient :

— Ils ont enlevé notre petite fille. Gardes, arrêtez-les !

Lorsque la porte s'est ouverte, Quedu Vent a senti une lame dans son dos. Il a lâché Asse Tusse et s'est retourné pour voir dix gardes qui le menaçaient de leurs armes. Quedu Vent s'est rendu, de même que ses deux compagnons. En bas, le roi criait encore.

— Mettez-les vite au cachot, je ne veux pas vous payer trop d'heures supplémentaires.

Toultan Sumondo, la gouvernante de la princesse, a choisi ce moment pour arriver. La vieille femme s'est frayé un chemin entre les gardes et a rejoint Asse Tusse qui venait de s'asseoir sur une marche.

— Allons, jeune fille, assez d'émotions pour ce soir. Vous devez dormir si vous voulez être belle demain. Ce type d'expérience traumatisante peut laisser de vilaines rides. Voulez-vous que je vous apporte une crème de concombre pour vous protéger ?

Asse Tusse a refusé d'un signe de tête sec et a suivi sa préceptrice jusqu'à sa chambre sans poser de questions. Elle s'est glissée dans son lit, s'est laissé border, puis s'est s'endormie presque aussitôt.

***

Les trois gredins se sont retrouvés en prison et Asse Tusse a dormi dans sa chambre.

Source : Pierre-Luc LAFRANCE, *Princesse à enlever*, Saint-Lambert, Soulières Éditeur, 2005, p. 25-34.

Réagis au texte.

1. À ton avis, qu'est-ce qui rend les personnages de ce conte drôles ? Quel passage est le plus drôle ? Lequel de ces personnages ressemble le plus à quelqu'un que tu connais ? En quoi lui ressemble-t-il ? Explique tes réponses à un ou à une camarade.
2. Avec un ou une camarade, note dans un tableau les caractéristiques de chaque personnage de ce conte. Présentez votre tableau à une autre équipe.

Enrichis ton vocabulaire.

3. L'auteur de ce conte a fait plusieurs jeux de mots pour rendre son texte plus intéressant, par exemple en créant le nom de ses personnages. Relève les jeux de mots que contiennent les noms suivants : *Quedu Vent*, *Puiskil Lefaut*, *Sil Lefaut*, *Asse Tusse* et *Toultan Sumondo*. Dans chaque cas, écris les mots et expressions qui ont été utilisés et explique dans tes mots en quoi les noms choisis décrivent bien les personnages.

COMPARER DES TEXTES

Dégage la structure de ce conte. Compare-la avec la structure de la nouvelle. En quoi sont-elles semblables ? En quoi sont-elles différentes ? Discutes-en avec un ou une camarade.

À L'ŒUVRE !

Organiser un spectacle d'humour

Le rire est propre à l'être humain. On peut sourire, rire aux éclats ou aux larmes, se tordre de rire et même mourir de rire ! Avoir le sens de l'humour est un atout à tout coup ! Souvent, les humoristes présentent des monologues pour faire rire les spectateurs et spectatrices.

En équipe, organisez un spectacle d'humour dans lequel vous présenterez un monologue humoristique.

Avant de commencer, réfléchis à ce que tu as lu et à ce dont tu as discuté dans ce module.

Sujet	*Un monologue humoristique*
Intention	*Divertir et faire rire*
Public cible	*Les autres élèves de la classe et des invités*
Forme du texte	*Conte ou récit humoristique*

PLANIFIEZ ET CRÉEZ VOTRE MONOLOGUE.

- Pensez aux moyens que vous utiliserez pour faire rire ou pour créer des effets comiques.
- Écrivez un monologue humoristique.
- Utilisez des jeux de mots et des mimiques en prévoyant des pauses.
- Mettez en scène des personnages bizarres et originaux.
- Définissez votre personnage : ses traits physiques, son caractère, ses mimiques, ses tics, ses manières d'agir et de réagir.
- Déterminez où et quand aura lieu votre histoire.
- Choisissez dans votre équipe la personne qui présentera votre monologue au public.
- Aidez cette personne à s'exercer à présenter votre monologue.

EN PLUS...

- Enregistrez votre spectacle sur vidéo afin de le regarder par la suite.
- Déposez votre enregistrement sur le site Web de l'école afin que d'autres élèves puissent voir votre spectacle.

PRÉPAREZ LE SPECTACLE ET PRÉSENTEZ VOS MONOLOGUES.

- Déterminez l'ordre dans lequel seront présentés les monologues avec les autres élèves de la classe.
- Dressez la liste des invités.
- Présentez votre monologue avec beaucoup d'expression.
- Utilisez des accessoires pour rendre votre monologue plus intéressant.
- Demandez une rétroaction et faites un bilan de votre expérience.

POINTS À SURVEILLER

- Un ton expressif pour donner vie aux mots et à votre personnage
- Une fin qui fera rire le public
- Des accessoires qui accentueront les propos ou les caractéristiques de votre personnage

RÉFLÉCHIS...

- Qu'as-tu appris sur la façon de créer et de présenter un monologue humoristique ?
- En quoi les présentations orales te permettent-elles de mieux connaître tes camarades ?

Ton portfolio

- Choisis deux ou trois productions que tu as faites au cours du module et qui montrent bien ce que tu as appris.
- Présente-les à ton enseignant ou à ton enseignante, à ta famille et à tes camarades.

SOURCES DES DOCUMENTS

MANUEL DE L'ÉLÈVE A

Légende

h : haut
b : bas
c : centre
g : gauche
d : droite
e : extrême
t : tout en haut
f : fond

PHOTOGRAPHIES

ADIDAS: p. x et 128 (b). **ALAMY:** 1re de couverture (h) : Iris Images; p. 63 (h); p. 71 (c) : S. Saks Photography; p. 85 (h, d) : J. Fairs. **ANCIENS COMBATTANTS CANADA, 2010:** p. 38 (g) : reproduit avec la permission des Anciens Combattants Canada. **ANDREW MACNAUGHTAN (1999):** p. 22. **BETTY JENEWIN:** p. 80; p. 81 (h); p. 81 (c); p. 82 (b, g). **BIBLIOTHÈQUE ET ARCHIVES CANADA:** p. ix et 28 (b) : C. Lund, National Film Board of Canada, PA-111579; p. 7 (c) et 9 (b, d) : C-006686; p. 9 (b, g) : R. W. Reford, PA-118198; p. 13 (h) : PA-117285; p. 13 (b) : 041785; p. 15 (c, g) : Canada Department of Manpower and Immigration, PA-181009; p. 46 (g) : Reproduction autorisée par Bibliothèque et Archives Canada, Ted Grant/Fonds Ted-Grant/PA-21182; p. 47 (d) : Reproduction autorisée par Bibliothèque et Archives Canada. Bibliothèque et Archives Canada/Crédit : Ted Grant/ Fonds Ted-Grant/e002283006. **BIGSTOCK:** p. 65 (b) : Global Photographers; p. 69 (b) : Sandralise. **CITY OF VANCOUVER ARCHIVES:** p. 18 : CVA 7-129, reproduit avec la permission de City of Vancouver Archives. **CORBIS:** 1re et 4e de couverture : Du Huaju/Xinhua Press; 1re de couverture (b) : Warren Jacobi; p. vii, ix, 4 (c) et 7, 29, 33, 39 (t, d) : Hulton-Deutsch Collection; p. 11 (b) : B. Gable, Reuters; p. 17 (c) : O. Franken; p. 17 (b) : Hulton-Deutsch Collection; p. 71 (b, d) : A. Maer, Sygma. **CP IMAGES:** p. 9 (h, d) : D. Cooper, Toronto Star; p. 86 (b, d) : T. Krochack. **DEBORAH CROWLE:** p. 83 (b, g); p. 84. **DORLING KINDERSLEY:** p. 88 (b). **DREAMSTIME:** 4e de couverture (b, c) et p. 52-53 : G. Hartz; p. 1 et 50 (g) : Balendran; p. 41 (h) : Photowa; p. 45 : R. Summers; p. 122 : Gatteriya; p. 123 : Konstanttin. **ENVIRONNEMENT CANADA:** p. viii et 58 (h) : ENVIRONNEMENT CANADA. *Rapport d'inventaire national, 1990-2008 – Sources et puits de gaz à effet de serre au Canada*, 2010, p. 76; p. 62 (h) : ENVIRONNEMENT CANADA et STATISTIQUE CANADA. « Fig. 1a – Utilisation brute de l'eau par les principaux secteurs canadiens utilisateurs d'eau, 2005 », *Enquêtes sur l'utilisation de l'eau – LES FAITS*, mars 2009. Reproduit avec la permission du ministère des Travaux publics et de Ressources naturelles Canada, 2010. **FESTIVAL JUSTE POUR RIRE 2009:** p. 126-127. **FOOTPRINTS COMMUNITY ARTS PROJECT 2001:** p. 21. **GETTY IMAGES:** p. viii, ix, 4 (b) et 6, 28, 32, 38 (t) : S. Gusha, Axiom Photographic Agency; p. 70 à 72 (f) : J. Childs, Taxi; p. 71 (h, g) : E. C. Johnson, Stock Connection, Science Faction; p. 71 (h, c) : E. C. Johnson, Stock Connection, Science Faction. **GRUPO GALLEGOS:** p. x et 128 (h). **A. Y. HOEKSTRA ET A. K. CHAPAGAIN:** p. 62 (b) : *Water footprints of nations*, UNESCO-IHE Institute for Water Education, 2004. **ISTOCKPHOTO:** 4e de couverture (b, g), p. iv, vii et 2-3 : L. Steward; 4e de couverture (b, d), p. vi, x, 100-101 et 104-105, 120-121, 124-125, 128-129 (t) : A. Brand; p. viii, 55 (h) et 56-57, 74-75, 78-79, 86-87 (t) : D. Tanaskovic; p. viii, 55 (b) et 56, 74, 78, 86 (t, g) : Ralph125; p. viii et 58 à 67 (f) : T. Helbig; p. viii et 59 (h) : R. Gennaro; p. viii et 59 (b) : Luoman; p. viii et 60 (h) : R. Suka; p. viii et 61 (h, g) : F. Romero; p. viii et 61 (h, d) : N. Nehring; p. 1 et 50 (d); p. 8 à 17 (f) : B. Noll; p. 10 (b) : C. Dewald; p. 11 (h) : C. Dewald; p. 27 : digitalskillet; p. 30-31 : S. Sefton; p. 31 (b, d) : L. Dean; p. 38 (d) : A. Laurita; p. 40 : C. Scredon; p. 41 (b) : E. Hart; p. 42 : A. Hafemann, Mlenny Photograhy; p. 42, 46-47 et 49 (f) : A. Isakovich; p. 43 : P. Kowalczyk; p. 43 à 48 (f) : N. Vujevic; p. 46 (d) : M. Testa; p. 48 : N. McComber; p. 66 (h) : O. Smit; p. 67 (b) : Y. Yang; p. 68 (g) : R. Friedman; p. 69 (h) : Bronxgebiet; p. 89 (h) : E. Kvalsvik; p. 89 (b) : D. Mathies; p. 130-131 (f) : A. Parfenov; p. 136 : biffspandex. **JOHN ISAAC:** p. 17 (h). **JUPITER IMAGES:** p. 81 (b, g) : Creatas Images; p. 82 (h) : BananaStock. **KAGAN MCLEOD:** p. 71 (h, d). **MAGAZINE COCCINELLE, FRANCE:** p. 86 (g). **MOTHER NATURE NETWORK:** p. 64 et 65 (h, g) : « IUCN Red List of Threatened Species 2009 », *2009 State of Birds report*, WWF, Bloomberg, PBS, © 2010. **NICHOLAS PICCILLO:** p. 85 (b). **NOVA SCOTIA ARCHIVES AND RECORDS MANAGEMENT:** p. 47 (g) : B. Brooks fonds, 1989-468, boîte 16/feuille nég. 7, image 10. **OCEAN CONSERVANCY:** p. 81 (b, d). **PANOS:** p. viii, 54 (h) et 57, 75, 79, 87 (t, d) : G. Pirozzi. **PHOTOTHÈQUE ERPI:** p. viii et 58 (b) : CYR, Marie-Danielle, et Jean-Sébastien VERREAULT.

Observatoire – L'environnement, Manuel de l'élève, Saint-Laurent, ERPI, 2008, p. 489; p. viii et 60 (b) : ORGANISATION DES NATIONS UNIES POUR L'ALIMENTATION ET L'AGRICULTURE (FAO), *Situation des forêts dans le monde*, 2005; cité dans BROUSSEAU, Michel. *Atlas du monde actuel*, Saint-Laurent, ERPI, 2007, p. 28 (cartographie : Groupe Colpron); p. 10 (h) : BROUSSEAU, Michel. *Atlas du monde actuel*, Saint-Laurent, ERPI, 2007, p. 31 (cartographie : Groupe Colpron). **PORT OF SEATTLE :** p. 82 (b, d) : D. Wilson. **REUTERS :** p. vii, ix, 4-5 (h) et 7, 29, 33, 39 (t, g) : C. Cortes; p. vii, ix, 5 (b) et 7, 29, 33, 39 (t, c) : L. Celano. **RIDEAU HALL :** p. 25 (g) : Sgt Ray Kolly, © 1984 Bureau du secrétaire du gouverneur général du Canada; p. 25 (d) : © Sa Majesté la Reine du Chef du Canada représentée par le Bureau du secrétaire du gouverneur général (2006) : Crédit photo : Sergent Éric Jolin (2006); p. 26 (b) : Carporal-chef Cindy Molyneaux. **SHUTTERSTOCK :** p. viii, 54 (b) et 57, 75, 79, 87 (t, c) : Ssuaphotos; p. 63 (c) : D. R. Swartz; p. 63 (b, eg) : F. Kienas; p. 63 (b, g) : Bliznetsov; p. 63 (b, d) : Objectsforall; p. 63 (b, ed) : O. Shelego; p. 65 (h, d) : Candan; p. 67 (h, g) : E. Elisseeva; p. 68 (d) : Glue Stock; p. 71 (b, g, illustration) : B. Thompson; p. 71 (b, g, Terre et Lune) : Digitalife; p. 80, 82 et 84 (f) : Sadili; p. 83 (eh) : P. Georgiy; p. 83 (h) : A. Murawa; p. 83 (c) : Y. Arcurs; p. 83 (b, d) : Mana Photo; p. 85 (eh) : MalibuBooks; p. 85 (c) : L. Clark. **THE DOMINION INSTITUTE :** p. 14 (h) : Z. Zavorsky; p. 15 (b) : I. Grossman; p. 15 (d) : I. Grossman. **VANCOUVER PUBLIC LIBRARY :** p. 7 (h) : VPL 30625, Special Collections; p. 19 : Special Collection, VPL 6231. **YORK REGION DISTRICT SCHOOL BOARD :** p. 26 (h) : V. Jaisaree.

ILLUSTRATIONS

Crowle Art Group : p. 8, 12, 15 (h), 16 et 20. **Christine Delezenne :** p. 130 à 134. **Jeff Dixon :** p. 72 (g et d). **Sylvain Frecon :** p. x, 1, 90 à 97, 104-105 (t), 107, 109, 111, 113, 115, 120-121 (t), 124-125 (t) et 128-129 (t). **Philippe Germain :** p. ix et 116 à 118. **Tina Holdcroft:** p. 33, 79 et 125. **Bertrand Lachance :** p. 88 (h). **Paul McCusker :** p. 34 à 37. **Janice Nadeau :** p. x et 76-77.

TEXTES

P. 6 : Traduction libre. *More Aboriginal People Moving to Cities*, reproduit avec l'autorisation du Edmonton Journal Group Inc., un partenaire de CanWest. **P. 22 à 27 :** Inspiré des notes d'allocution de la très honorable Adrienne Clarkson. **P. 30-31 :** AUBUT, Lise. *L'hymne à l'espoir*, Les Éditions Tric trac, 1978. **P. 76 :** SAUCIER, Frédérique. « Une terre ronde » dans FORFERT, Axel. *Anthologie des jeunes poètes francophones*, Saint-Hippolyte, Éditions du Noroît, 1997, p. 35. **P. 77 :** FORFERT, Axel. « Terrabulle… », *Anthologie des jeunes poètes francophones*, Saint-Hippolyte, Éditions du Noroît, 1997, p. 23. **P. 80 à 85 :** Traduction libre. © GRIFFIN BURNS, Loree. *Tracking Trash : Flotsam, Jetsam, and the Science of Ocean Motion*, 2007. Reproduit avec la permission de Houghton Mifflin Harcourt Publishing Company. Tous droits réservés. **P. 88-89 :** WOODFORD, Chris. « L'Arctique fond », *Pour une planète verte ! L'encyclopédie de l'écologie*, Saint-Laurent, ERPI, 2009, p. 46-47. **P. 102-103 :** PARENT, Raymond. *Culbute*, Montréal, Les 400 coups, © 1994, 2003, p. 5, 8, 18 et 20. **P. 116 à 119 :** Traduction libre. DESSLER, John, et Lawrence PHILLIS. « The Bug Doctor », *Sketch-o-Frenia*. Colorado Springs, © 2003 Meriwether Publishing Ltd. Reproduit avec autorisation. **P. 122 :** GRAVEL, François. « Page blanche », *Voyage en Amnésie et autres poèmes débiles*, Montréal, Les 400 coups, 2005, p. 34. Cet extrait a été reproduit aux termes d'une licence accordée par Copibec. **P. 123 :** MAJOR, Henriette. « À quoi ça sert un poème ? », *J'aime les poèmes*, Montréal, Éditions Hurtubise HMH, 2002, p. 6. **P. 130 à 135 :** LAFRANCE, Pierre-Luc. *Princesse à enlever*, Saint-Lambert, © Pierre-Luc Lafrance, Soulières Éditeur, 2005, p. 25 à 34.